Alice no País do Quantum

Robert Gilmore

Alice no País do Quantum

A física quântica ao alcance de todos

Tradução:
André Penido

Revisão técnica:
Ildeu de Castro Moreira
Professor do Instituto de Física, UFRJ

17ª reimpressão

ZAHAR

Tradução autorizada da primeira edição norte-americana publicada em 1995
por Springer-Verlag, de Nova York, Estados Unidos

Grafia atualizada segundo o Acordo Ortográfico da Língua Portuguesa de 1990, que entrou em vigor no Brasil em 2009.

Título original
Alice in Quantumland: An Allegory of Quantum Physics

Capa
Carol Sá
Sérgio Campante

Ilustração
Colagem digital ao redor de *Menina com arco*,
óleo sobre tela de Pierre-Auguste Renoir, 1885

CIP-Brasil. Catalogação na fonte
Sindicato Nacional dos Editores de Livros, RJ

G398a Gilmore, Robert
Alice no país do quantum: a física quântica ao alcance de todos / Robert Gilmore; tradução André Penido; revisão técnica Ildeu de Castro Moreira. — 1ª ed. — Rio de Janeiro: Zahar, 1998.

Tradução de: Alice in Quantumland: An Allegory of Quantum Physics.
ISBN 978-85-7110-441-9

1. Física quântica. I. Título.

98-1497 CDD: 530.12
CDU: 530.145

EDITORA SCHWARCZ S.A.
Praça Floriano, 19, sala 3001 — Cinelândia
20031-050 — Rio de Janeiro — RJ
Telefone: (21) 3993-7510
www.companhiadasletras.com.br
www.blogdacompanhia.com.br
facebook.com/editorazahar
instagram.com/editorazahar
twitter.com/editorazahar

Sumário

Prefácio 7

No País do Quantum 11
O Banco Heisenberg 23
O Instituto de Mecânica 40
A Escola de Copenhague 59
A Academia Fermi-Bose 78
Realidade Virtual 97
Átomos no Vácuo 116
O Castelo Rutherford 133
O Baile de *Massa*carados das Partículas 150
A Pheira Phantástica da Física Experimental 170

Índice remissivo 189

Prefácio

Na primeira metade do século XX, nossa compreensão do Universo foi virada de pernas para o ar. As antigas teorias clássicas da física foram substituídas por uma nova maneira de olhar o mundo — a mecânica quântica. Esta estava em desacordo, sob vários aspectos, com as ideias da antiga mecânica newtoniana; na verdade, sob vários aspectos, estava em desacordo com nosso senso comum. Entretanto, a coisa mais estranha sobre essas teorias é seu extraordinário sucesso em prever o comportamento observado dos sistemas físicos. Por mais absurda que a mecânica quântica possa nos parecer, esse parece ser o caminho que a Natureza escolheu — logo, temos que nos conformar.

Este livro é uma alegoria da física quântica, no sentido dicionarizado de "uma narrativa que descreve um assunto sob o disfarce de outro." O modo pelo qual as coisas se comportam na mecânica quântica parece muito estranho para nossa maneira habitual de pensar e torna-se mais aceitável quando fazemos analogias com situações com as quais estamos mais familiarizados, mesmo quando essas analogias possam ser inexatas. Tais analogias não podem nunca ser uma representação verdadeira da realidade, na medida em que os processos quânticos são de fato bastante diferentes de nossa experiência ordinária.

Uma alegoria é uma analogia expandida, ou uma série de analogias. Como tal, este livro segue mais os passos de *Pilgrim's Progress* ou *As viagens de Gulliver* do que *Alice no País das Maravilhas.* Alice parece o modelo mais conveniente, no entanto, quando examinamos o mundo que habitamos.

O País do Quantum por onde Alice viaja se parece mais com um parque temático no qual Alice é às vezes uma observadora, ao passo que algumas vezes se comporta como uma espécie de partícula cuja carga elétrica pode variar. Esse País do Quantum mostra os aspectos essenciais do *mundo quântico*: o mundo que todos nós habitamos.

Grande parte da história é pura ficção e os personagens são imaginários embora as notas que descrevem o "mundo real" sejam verdadeiras. Através da narrativa você encontrará muitas afirmações obviamente absurdas e bastante divergentes do senso comum. Em sua maior parte, elas são verdadeiras. Niels Bohr, o pai da mecânica quântica em seus primórdios, é conhecido por ter observado que qualquer um que não tenha ficado aturdido ao pensar na teoria quântica não a compreendeu.

Com seriedade, embora...

A descrição do mundo proposta pela mecânica quântica é sem dúvida interessante e notável, mas estaríamos seriamente preparados para acreditar que é verdadeira? Curiosamente achamos que estamos. Para frisar essa afirmação, ao longo deste livro você encontrará breves notas que enfatizam a importância da mecânica quântica no mundo real. As notas são mais ou menos assim:

Estas notas resumem a relevância, para o nosso mundo, dos tópicos quânticos que Alice encontra em cada capítulo. Elas foram colocadas de forma a não atrapalhar a leitura das aventuras de Alice mas, quando você quiser descobrir o real significado de suas peripécias, as notas vão estar convenientemente próximas.

Essas notas resumem a importância, para o nosso mundo, dos tópicos quânticos encontrados por Alice em cada capítulo. Elas pretendem ser suficientemente não intrusivas, de modo que você pode ignorá-las enquanto estiver lendo a história das aventuras de Alice, mas se quiser descobrir o real significado dessas aventuras, as notas estão convenientemente próximas.

Há também algumas notas longas nos finais de capítulo. Elas esclarecem alguns dos pontos-chave no texto e são assim caracterizadas:

Ver nota 1 no final do Capítulo

Vários aspectos pelos quais a teoria quântica descreve o mundo podem parecer absurdos à primeira vista — e possivelmente podem assim parecer da segunda, terceira e vigésima quinta vez. É, no entanto, o único jogo na cidade. A antiga mecânica clássica de Newton e seus seguidores é incapaz de dar qualquer tipo de explicação para os átomos e outros microssistemas. A mecânica quântica concorda muito bem com a observação. Os cálculos são frequentemente difíceis e entediantes, mas, onde foram efetuados, se adequaram perfeitamente ao que fora realmente observado.

É impossível enfatizar suficientemente o notável sucesso prático da mecânica quântica. Embora o resultado de uma medida possa ser aleatório e imprevisível, as previsões da teoria quântica se ajustam consistentemente aos resultados médios obtidos a partir de muitas medidas. Qualquer observação macroscópica envolverá inúmeros átomos e, portanto, inúmeras observações em escala atômica. De novo veremos que a mecânica quântica é bem-sucedida, na medida em que automaticamente se adequa aos resultados da mecânica clássica para objetos macroscópicos. O inverso não é verdadeiro.

A teoria quântica foi desenvolvida para explicar observações feitas nos átomos. Desde sua concepção, foi aplicada com sucesso ao núcleo atômico, à interação forte de partículas que provém do núcleo e ao comportamento dos quarks dos quais são compostas. A aplicação da teoria foi estendida por um fator de algo como cem bilhões. Os sistemas considerados tanto diminuíram em tamanho como aumentaram em energia por esse fator. É um longo caminho de extrapolação de uma teoria a partir de sua concepção original, mas até aqui a mecânica quântica parece estar apta a lidar com esses sistemas extremos.

Até o ponto em que foi investigada, a mecânica quântica parece ser de aplicabilidade universal. Em uma escala macroscópica, as previsões da teoria quântica perdem seu aspecto aleatório e se adequam àquelas da mecânica clássica, que trabalha muito bem com objetos grandes. Em uma escala microscópica, no entanto, as previsões da teoria quântica são consistentemente confirmadas em experimentos. Até mesmo essas previsões, que parecem implicar um retrato absurdo do mundo, estão sustentadas pela evidência experimental. Intrigantemente, como discutido no Capítulo 4, a mecânica quântica parece estar numa estranha posição de se adequar a todas as observações feitas, embora se discuta quais observações podem efetivamente *ser* feitas. Parece que o mundo é mais estranho do que imaginamos e talvez mais estranho do que *possamos* imaginar.

Enquanto isso, porém, vamos acompanhar Alice em seu início de jornada pelo País do Quantum.

Robert Gilmore

No País do Quantum

1

Alice estava entediada. Todos os seus amigos estavam de férias, visitando os parentes e ela, por causa da chuva, ficou trancada em casa, vendo televisão. Naquela tarde já tinha assistido ao quinto episódio de um curso de introdução ao Esperanto, a um programa de jardinagem e a uma propaganda política. Alice estava entediada de verdade.

Olhou para o livro que estava no chão, ao lado da cadeira. Era uma edição de *Alice no País das Maravilhas* que ela, mais cedo naquele dia, tinha deixado por ali ao acabar de ler. "Não sei por que não pode haver desenhos e programas mais interessantes na televisão", divagava. "Queria ser como a outra Alice. Ela estava entediada e descobriu o caminho para uma terra cheia de seres interessantes e acontecimentos estranhos. Se houvesse algum jeito de encolher para flutuar através da tela da televisão, talvez eu pudesse encontrar várias coisas fascinantes."

Frustrada, ela olhava para a tela, onde naquele momento uma imagem do primeiro-ministro dizia que, feitas todas as considerações, as coisas estavam bem melhores do que três anos antes, ainda que nem sempre parecessem assim. Ficou um pouco surpresa ao ver a imagem do rosto do primeiro-ministro se desmanchar devagarinho e se transformar numa névoa de pontinhos brilhantes que dançavam e que pareciam fluir para dentro da TV, como se estivessem chamando por ela. "Puxa", disse Alice, "acho que eles querem que eu os siga!" Levantou-se de um salto e foi em direção à televisão, mas tropeçou no livro que tinha displicentemente largado no chão, e caiu de cabeça.

Enquanto caía, espantou-se ao ver a tela ficar enorme, e se surpreendeu cercada pelos pontinhos dançantes que fluíam para dentro da imagem. "Não consigo ver nada com esses pontos dando voltas ao meu redor", pensou. "É como estar perdida numa tempestade de neve. Não consigo nem mesmo ver meus pés. Queria ver só um pouquinho. Não dá nem para saber onde estou."

Naquele momento, Alice sentiu seus pés encostarem em algo sólido e se viu sobre uma superfície plana e dura. À sua volta os pontinhos começavam a sumir e ela percebeu que estava cercada por formas indefinidas.

Olhou mais de perto para a que estava mais próxima e observou uma figura pequena, da altura da sua cintura, no máximo. Era muito difícil defini-la, pois ficava pulando de um lado para outro e se mexendo tão rápido que mal dava para ver direito. A forma parecia estar carregando algum tipo de bengala, ou talvez um guarda-chuva fechado, que ficava apontado para cima. "Olá", Alice se apresentou educadamente. "Eu sou a Alice. Posso saber quem você é?"

"Sou um elétron", disse a forma. "Sou um elétron *spin para cima.* É fácil me distinguir da minha amiga ali, a elétron *spin para baixo*, que é obviamente muito diferente de mim." E disse para si mesmo, num tom baixinho, algo que soou como "Vive la différence". Pelo que Alice pôde ver, o outro elétron era quase igual, a não ser pelo guarda-chuva, ou o que quer que fosse aquilo, que apontava para baixo, na direção do chão. Era difícil ter certeza, uma vez que a figura também estava pulando de um lado para outro, tão rapidamente quanto a primeira.

"Por favor", disse Alice a seu mais novo conhecido. "Poderia fazer a gentileza de parar por um momento para que eu possa vê-lo com mais clareza?"

"Sou bastante gentil", disse o elétron, "mas receio que não haja espaço bastante. Mas vou tentar, de qualquer forma." Assim dizendo, ele começou a diminuir a sua taxa de agitação. Mas quanto mais devagar se movia, mais se expandia para os lados e mais difuso ia ficando. Naquele momento, apesar de não se mover rapidamente, ele estava tão indefinido e tão fora de foco que Alice não

conseguia vê-lo com mais clareza do que antes. "Isto é o melhor que posso fazer", resfolegou o elétron. "Receio que quanto mais lentamente eu me mover, mais espalhado eu fico. As coisas são assim aqui no País do Quantum: quanto menos espaço você ocupa, mais rápido você tem de se mover. É uma das regras, e não há nada que eu possa fazer."

"Realmente não há espaço para diminuir a velocidade aqui", continuou o companheiro de Alice enquanto recomeçava a pular rapidamente de um lado para

Partículas no nível atômico diferem de objetos em escala macroscópica. Elétrons são muito pequenos e não apresentam características particulares, sendo completamente idênticos uns aos outros. De fato, eles têm algum tipo de rotação, apesar de não ser possível dizer exatamente o que é que está em rotação. Uma característica peculiar é que todos os elétrons giram à mesmíssima taxa, não importando em que direção a rotação é medida. A única diferença é que uns giram em uma direção e outros giram em outra direção. Dependendo da sua direção da rotação, os elétrons são conhecidos como *spin para cima* ou *spin para baixo.*

outro. "A estação está ficando tão lotada, que preciso ser mais compacto." De fato, o espaço em que Alice se encontrava estava lotado pelas figurinhas que se espremiam uma ao lado da outra, dançando e se movendo febrilmente.

"Que seres estranhos", pensou Alice. "Acho que nunca conseguirei ver como são de verdade já que não param quietos e nada indica que um dia pararão." Porque não parecia ser possível fazê-los se moverem mais devagar ela resolveu tentar um outro assunto. "Você poderia me dizer por gentileza que tipo de estação é esta onde nós estamos?", ela perguntou.

"Numa estação ferroviária, é claro", respondeu alegremente um dos elétrons (era muito difícil para Alice dizer qual deles tinha falado, pois todos eram muitíssimo parecidos). "Vamos pegar o trem de ondas para aquela tela que você vê. Você vai pegar depois o expresso fóton, acredito, se quiser ir mais longe."

"Está falando da tela de televisão?", Alice perguntou.

"Ora essa, é claro", disse alto um dos elétrons. Alice podia jurar que não tinha sido o mesmo que respondera à primeira pergunta, mas era muito difícil ter certeza. "Venha! O trem está aqui e temos de embarcar."

De fato, Alice pôde ver uma fila de pequenos vagões alinhados na estação. Eram todos bem pequenos. Alguns estavam vazios, alguns estavam ocupados por um elétron, e outros por dois elétrons. Os vagões enchiam-se rapidamente — na verdade, parecia que não restava mais nenhum vazio — mas Alice percebeu que nenhum dos vagões levava mais do que dois elétrons. Quando eles passavam perto desses vagões, os dois ocupantes gritavam "Lotado! Lotado!".

"Vocês não poderiam espremer mais do que dois num vagão, estando o trem assim tão cheio?", Alice perguntou a seus companheiros.

"Oh, não! Nunca além de dois elétrons juntos, esta é a regra."

"Acho então que teremos de ocupar vagões diferentes", disse Alice um pouco contrariada, mas o elétron a tranquilizou.

"Você não é problema algum! Você pode entrar no vagão que quiser, é claro!"

O *princípio da incerteza de Heisenberg* diz que nenhuma partícula pode ter valores bem definidos para posição e velocidade ao mesmo tempo. Isto significa que uma partícula não pode permanecer estacionária numa determinada posição, já que uma partícula estacionária tem uma velocidade bem definida: a velocidade de valor zero.

"Não vejo como isso será possível", respondeu Alice. "Se um vagão estiver cheio demais para vocês, com certeza não haverá espaço para mim também."

"De jeito nenhum! Os vagões só podem acomodar dois elétrons, por isso os lugares para elétrons devem estar quase todos tomados, mas você não é um elétron! Não há nenhuma outra Alice no trem, então há espaço mais do que suficiente para uma Alice em qualquer um dos vagões."

Alice não entendia tudo que ele dizia, mas, temendo que o trem partisse logo, começou a procurar um lugar vago que pudesse acomodar mais um elétron. "E este aqui?", perguntou ao seu companheiro. "Aqui tem um vagão com um elétron só. Dá para você entrar aqui?"

"Claro que não!" ele disparou, horrorizado. "Este também é um elétron *spin para cima*. Não posso dividir um vagão com outro elétron *spin para cima*. Que sugestão! É totalmente contra o meu princípio."

"Contra os seus princípios, é o que quer dizer?", Alice perguntou.

"Quero dizer aquilo que disse. Contra o meu princípio, ou melhor, contra o princípio de Pauli, que proíbe que dois de nós, elétrons, façamos a mesma coisa ao mesmo tempo, o que inclui ocupar o mesmo espaço *e* ter o mesmo spin", ele respondeu, ofendido.

Alice não conseguia entender o que o tinha deixado tão magoado, mas deu uma olhada rápida ao seu redor para ver se encontrava um outro vagão que fosse mais apropriado para ele. Acabou conseguindo achar um que abrigava um único elétron do tipo *spin para baixo*, e o companheiro de Alice prontamente pulou para dentro. Alice ficou surpresa ao ver que, apesar de o pequeno vagão agora parecer cheio, de alguma forma havia espaço o bastante para ela.

Assim que ocuparam seus lugares, o trem começou a andar. A viagem foi monótona, e a paisagem desinteressante. Tanto que Alice ficou contente ao ver que o trem diminuía de velocidade. "Esta deve ser a tela, suponho", pensou Alice. "Estou ansiosa para saber o que acontecerá agora."

Elétrons são absolutamente idênticos e obedecem ao princípio da exclusão de Pauli (ver Capítulo 5), que impede que haja mais do que um elétron no mesmo estado (ou dois, quando você inclui as diferentes direções possíveis para o spin).

Enquanto os elétrons saltavam do trem para a tela, uma grande agitação tomou conta do lugar. "O que está acontecendo?", Alice perguntava alto. "Por que todos estão tão excitados?" Suas perguntas eram respondidas por um aviso que parecia surgir do ar que a cercava.

"O fósforo da tela está agora sendo excitado pelos elétrons que chegam, e assim teremos em breve a emissão de fótons. Aguardem a partida do expresso fóton." Alice olhou à sua volta para tentar ver a chegada do expresso, quando formas brilhantes e luminosas passaram correndo através da plataforma. Alice foi pega de surpresa no meio da multidão e levada junto com ela enquanto todos se reuniam dentro do mesmo vagão. "Eles não parecem estar preocupados com nenhum princípio, de Pauli ou de qualquer outro", pensou Alice enquanto as figuras iam se espremendo em torno dela. "Estes aqui certamente não se incomodam de estar no mesmo lugar. Acho que o expresso vai partir logo. Imagino onde será...

"... que vai parar", concluiu ao descer na outra plataforma. "Puxa! Foi uma viagem rápida, com certeza." (Alice estava corretíssima neste ponto. A viagem não durou tempo algum, pois o tempo fica efetivamente congelado para qualquer coisa que viaje com a velocidade da luz.) Novamente ela se viu cercada por uma multidão de elétrons, todos correndo para longe da plataforma.

"Venha!", um deles gritou para ela ao desembarcar. "Devemos sair da estação agora se quisermos ir a algum lugar."

"Desculpe", perguntou Alice, hesitante, "você é o mesmo elétron com quem eu estava falando antes?"

"Sou", respondeu, enquanto disparava por uma passagem lateral. Alice foi arrastada pela multidão de elétrons e conduzida através da entrada principal da plataforma.

"Puxa vida, que coisa mais irritante!", disse Alice. "Perdi de vista a única pessoa que conheço neste lugar estranho e não tenho ninguém que me explique o que está acontecendo."

"Não se preocupe, Alice", disse uma voz à altura de seu joelho. "Vou lhe mostrar aonde ir." Era um dos elétrons.

"Como sabe meu nome?" perguntou Alice com espanto.

"Simples. Sou o mesmo elétron que estava falando com você antes."

"Não pode ser!", exclamou ela. "Vi aquele elétron indo em outra direção. Talvez não fosse o mesmo com quem eu estava falando antes."

"Certamente era."

"Então você não pode ser o mesmo", disse Alice, logicamente. "Vocês não podem ser o mesmo elétron, sabia?"

“Oh, sim, podemos!”, replicou o elétron. “Ele é o mesmo. Eu sou o mesmo. Nós todos somos o mesmo, sabia? Exatamente o mesmo!”

“Isto é ridículo!”, argumentou Alice. “Você está aqui ao meu lado enquanto o outro foi para algum lugar naquela direção, por isso vocês dois não podem ser a mesma pessoa. Um de vocês tem de ser diferente.”

“Não mesmo”, gritou o elétron, pulando de um lado para outro, ainda mais rápido por causa de sua excitação. “Somos todos idênticos. Não há como nos diferenciar. Por isso, veja, ele deve ser o mesmo e eu devo ser o mesmo também.”

Nesse momento, a multidão de elétrons que rodeava Alice começou a gritar: “Eu sou o mesmo”, “Eu sou o mesmo também”, “Eu sou o mesmo que você é”, “Eu também sou o mesmo que você.” O tumulto era terrível. Alice fechou os olhos e pôs as mãos nos ouvidos até o barulho acabar.

Quando tudo estava quieto novamente, Alice abriu os olhos e abaixou as mãos. Viu que não havia mais sinal da multidão de elétrons e que ela estava sozinha, saindo pela entrada da estação. Olhando em volta, viu-se numa rua que, à primeira vista, parecia bem normal. Virou à esquerda e começou a caminhar pela calçada.

Antes que fosse muito longe, cruzou com uma figura na frente de uma passagem procurando melancolicamente algo em seus bolsos. Era baixo e muito pálido. Era difícil ver seu rosto com nitidez, assim como era o caso com todo mundo que Alice tinha conhecido recentemente. Mas ele parecia bastante com um coelho, pensou Alice. "Meu Deus! Meu Deus! Estou atrasado e não consigo encontrar as minhas chaves. Eu *tenho de* entrar diretamente!" Assim dizendo, ele se afastou um pouco e voltou correndo em direção à porta.

Correu tão rápido que Alice não foi capaz de vê-lo em nenhuma posição. Em vez disso, viu uma série de imagens dele nas diferentes posições que ocupara ao longo do seu trajeto. As imagens iam do ponto de partida até a porta onde, ao invés de parar como Alice esperava, continuavam porta adentro, diminuindo cada vez mais até ficarem pequenas demais para serem vistas. Alice mal teve tempo de registrar essa estranha série de imagens quando a figura ricocheteou de volta na mesma velocidade, deixando novamente uma série de imagens. Dessa vez elas terminaram abruptamente com o infeliz personagem caído de costas, em cima de um bueiro. Igualmente decidido, ele se levantou e disparou de novo em direção à porta. Novamente apareceu a série de imagens que se encolhiam para dentro da porta, e novamente ele ricocheteou e acabou caindo de costas.

Enquanto Alice corria em sua direção, ele repetiu o movimento várias vezes, jogando-se contra a porta e novamente caindo de costas. "Pare, pare!", gritou Alice. "Não faça isso. Você vai acabar se machucando."

A pessoa parou de correr e olhou para Alice. "Olá, minha querida. Receio que eu deva fazer isto. Estou trancado do lado de fora e preciso entrar logo, por isso não tenho opção senão *tunelar* através da barreira."

Alice olhou para a porta, que era grande e sólida. "Não acho que terá muita chance de atravessá-la correndo e se atirando contra ela", disse. "Está tentando derrubá-la?"

"Oh, não, certamente que não! Não quero destruir minha linda porta. Apenas desejo atravessá-la. Por outro lado, temo que o que disse seja verdade. A probabilidade de conseguir atravessá-la não é grande, realmente, mas devo tentar." Dizendo isso, atirou-se novamente contra a porta. Alice o abandonou, achando que seria perda de tempo, e se afastou no momento em que ele voltava cambaleante mais uma vez.

Após alguns passos, Alice não pôde resistir e deu uma olhada para trás, para ver se, por acaso, ele tinha desistido. Viu mais uma vez a série de imagens que iam em direção à porta e se encolhiam ao chegar lá. Ela esperou pelo ricochete. Das outras vezes tinha sido imediato, mas desta vez nada houve. A porta estava lá, sólida e sozinha, e não havia sinal do seu conhecido. Após alguns segundos em que nada aconteceu, Alice ouviu o ruído de trancas e correntes vindo de detrás da porta, que se abriu. Seu conhecido reapareceu e acenou para ela. "Que sorte a minha!", disse ele. "A probabilidade de penetrar uma barreira grossa como esta é realmente muito pequena. É uma sorte espantosa eu ter conseguido atravessá-la em tão pouco tempo." Fechou a porta em seguida com uma batida sólida que indicava o término daquele encontro. Alice continuou sua caminhada.

Um pouco à frente ela chegou a um terreno vazio ao lado da rua, onde um grupo de operários estava reunido em volta de uma pilha de tijolos. Alice deduziu que fossem operários, pois estavam descarregando mais tijolos de dentro de um carrinho. "Bem, pelo menos estas pessoas estão se comportando de maneira sensata", pensou consigo mesma. Naquele instante, um outro grupo dobrou a esquina correndo, carregando algo que se assemelhava a um enorme tapete enrolado, e começou a desenrolá-lo no terreno. Alice percebeu então que aquilo era algum tipo de planta baixa de um prédio. A planta parecia ser bem grande, já que cobria a maior parte do espaço disponível. "Puxa! Acho que deve ser do mesmo tamanho do prédio que eles vão construir", disse Alice, "mas como conseguirão construir alguma coisa se a planta já ocupa todo o espaço?"

Os operários acabaram de pôr a planta na posição e voltaram à pilha de tijolos. Começaram a pegar os tijolos e jogá-los aparentemente a esmo em cima da planta. Tudo estava confuso — os tijolos caíam ora num lugar, ora em outro — e Alice não via nenhum objetivo nisso. "O que estão fazendo?" perguntou a um homem que estava afastado para o lado. Como ele parecia não estar fazendo nada, ela deduziu que fosse o mestre de obras. "Vocês só estão empilhando os tijolos desorganizadamente. Não deviam estar construindo um prédio?"

"Com certeza, querida. E estamos", respondeu o mestre de obras. "É bem verdade que as flutuações aleatórias ainda são grandes o bastante para esconder o padrão, mas assim que tivermos estabelecido a distribuição de probabilidades para o resultado que precisamos, estaremos conseguindo, não há o que temer."

Alice achou aquela demonstração de otimismo não muito convincente, mas ficou quieta e observou a chuva de tijolos que continuava a cair no terreno. Pouco a pouco, para sua surpresa, notou que alguns tijolos caíam mais em certas regiões do que em outras e que era possível distinguir paredes e vãos de portas. Ela olhava

A teoria quântica descreve o comportamento de partículas em termos de *distribuições de probabilidade*, e a observação real de partículas individuais ocorre aleatoriamente dentro destas distribuições. As probabilidades podem incluir processos classicamente proibidos, tais como a penetração de partículas através de uma estreita barreira de energia.

fascinada enquanto reconhecia as formas dos cômodos que iam surgindo daquele caos inicial. “Puxa, que impressionante!”, disse. “Como conseguem fazer isso?”

“Ora, já não disse a você?”, sorriu o mestre de obras. “Você nos viu estabelecer a distribuição de probabilidades antes de começarmos. É ela que especifica os lugares onde deve haver tijolos e onde não deve. Precisamos fazer isso antes de começar a deitar os tijolos porque não sabemos onde eles vão parar quando os jogarmos, entende?”, continuou.

“Não vejo por quê!”, interrompeu Alice. “Estou acostumada a ver os tijolos serem postos um depois do outro, em linhas certas.”

“Bem, não é assim que fazemos aqui em Quantum. Aqui não podemos controlar onde cada tijolo vai, apenas a probabilidade de que irá para um lugar ou outro. Isto quer dizer que quando há poucos tijolos, eles podem cair em quase todos os lugares e então não parecem ter nenhum tipo de padrão. Quando seu número aumenta, porém, você descobre que só há tijolos onde há alguma probabilidade de que eles estejam lá; e onde a probabilidade é maior, é onde haverá mais tijolos. Quando se lida com grandes quantidades de tijolos, tudo acaba funcionando muito bem, é verdade.”

Alice achou tudo isso muito esquisito, apesar de o mestre de obras falar com tanta precisão que até parecia fazer algum sentido. Não perguntou mais nada, pois as respostas dele apenas a confundiam mais. Agradeceu então pelas informações e continuou andando pela rua.

Não muito tempo depois, ela avistou uma janela onde um grande cartaz dizia:

> Insatisfeito com seu Estado?
> Gostaria de passar para um nível mais alto?
> Ajudaremos você a fazer a Transição por apenas 10 eV.
> (Oferta sujeita à limitação usual da exclusão de Pauli)

"Tenho certeza de que deve ser alguma coisa muito excitante, mas não tenho ideia do que se trata, e se fosse perguntar a alguém, estou certa de que a resposta me deixaria ainda mais perdida do que estou agora", exclamou Alice desesperada. "Não entendi nada do que vi até agora. Queria encontrar alguém que me desse uma boa explicação sobre o que está acontecendo em volta de mim."

Não tinha percebido que havia falado alto até ouvir a resposta dada por um passante. "Se quiser entender o País do Quantum, vai precisar de alguém que lhe explique a mecânica quântica. Para isso, você deveria ir ao Instituto de Mecânica", aconselharam-na.

"Oh, serão eles capazes de me explicar o que está acontecendo aqui?", gritou Alice satisfeitíssima. "E serão capazes de me explicar todas as coisas que vi, assim como o cartaz naquela janela e o que quer dizer aquele 'eV'?"

"Acho que a Mecânica poderá lhe explicar a maior parte", respondeu seu informante, "mas como 'eV' são unidades de energia, provavelmente você deveria começar perguntando sobre elas no Banco Heisenberg, principalmente porque fica ali do outro lado da rua."

Alice olhou para onde ele apontava e viu uma grande construção com uma fachada muito pomposa, obviamente construída para impressionar. Tinha uma entrada com pilastras de pedra e, no topo, em letras garrafais, estava gravado o nome BANCO HEISENBERG. Alice atravessou a rua, subiu a longa escadaria que levava à porta grandiosa, e entrou.

O Banco Heisenberg 2

Passando pela porta, Alice se viu numa sala com colunas altas e paredes de mármore. Era igualzinho a outras casas bancárias que ela havia conhecido, só que este parecia mais com um Banco. Havia uma fileira de caixas ao longo da parede, e o amplo salão estava dividido por barreiras de fita para que os clientes já fossem formando filas enquanto esperavam para ser atendidos. No momento, porém, não havia cliente algum. Além dos caixas atrás do balcão e o guarda de pé ao lado da porta, Alice não via mais ninguém.

Como tinham lhe aconselhado a pedir informações no Banco, ela começou a andar com decisão em direção à fileira de caixas. "Um momento!", disse o guarda. "Aonde pensa que está indo, mocinha? Não vê que há uma fila?"

"Desculpe", respondeu Alice, "mas não estou mesmo vendo a fila. Não há ninguém aqui."

"Claro que há, e muitos!", enfatizou o guarda. "Estamos recebendo muitos 'ninguéns' hoje. Normalmente nós nos referimos a eles como *virtuais*. Poucas vezes vi tantas partículas virtuais esperando por seus empréstimos de energia."

Alice percebeu — e isto estava se tornando comum — que nada ia ser rapidamente esclarecido. Olhou para as janelinhas dos caixas e viu que, apesar de o Banco parecer estar vazio, os caixas estavam muito ocupados. Figuras brilhantes iam aparecendo, uma de cada vez, na frente de uma janelinha ou outra, e depois saíam correndo do Banco. Num momento, ela viu um par de figuras se materializarem juntas em frente ao caixa. Percebeu que uma delas era um elétron; a outra era muito parecida, mas era meio como o negativo de uma fotografia da primeira, o oposto em cada detalhe dos elétrons que ela tinha visto antes.

"Aquele é um pósitron, um *antielétron*", murmurou uma voz no ouvido de Alice. Ela se virou e viu uma jovem mulher de olhar severo e muito bem-vestida.

"Quem é você?", perguntou Alice.

"Sou a Gerente do Banco", respondeu a jovem. "Sou a encarregada da distribuição dos empréstimos de energia para as partículas virtuais. A maioria é de fótons, como pode ver, mas às vezes atendemos pares de partículas e antipartículas, que chegam juntas para pedir um empréstimo, como aquele par de elétron e pósitron que você viu há pouco."

"Por que é que precisam de empréstimos de energia?", perguntou Alice. "E por que não consigo vê-los até antes de conseguirem o empréstimo?"

"Bem, vejamos", respondeu a Gerente, "para que uma partícula exista adequadamente, para que seja *livre*, possa se movimentar e ser observada normalmente e tudo o mais, ela deve ter ao menos uma energia mínima específica a que chamamos de *energia da massa de repouso*. Essas pobres partículas virtuais não têm nem mesmo essa energia. A maioria não tem nenhuma energia e por isso nem existe de verdade. Para sorte delas, podem fazer um *empréstimo* de energia aqui no Banco e isto permite que existam por algum tempo." Ela apontou para um cartaz na parede que dizia:

CONDIÇÕES DE EMPRÉSTIMO

$$\Delta E\, \Delta t = \hbar/2$$

Dá-se preferência a pagamento imediato.

"Isto é o que chamamos de relação de Heisenberg. Ela governa todas as nossas transações. O $\hbar$ é chamado *constante de Planck*, o valor corretamente reduzido, é claro. A relação dá a taxa de câmbio para nossos empréstimos de energia. A quantidade ΔE *é a quantidade de energia emprestada e* Δt *é o intervalo de tempo para o qual o empréstimo vale."*

"Quer dizer", disse Alice, tentando acompanhar o que a Gerente dizia, "que é como a taxa de câmbio entre duas moedas diferentes, de modo que quanto mais tempo houver, mais energia pode ser emprestada?"

"Oh, não! É justamente o contrário! A energia e o tempo *multiplicados juntos* é que dão um valor constante. Quanto maior a energia, *mais curto* é o período de tempo em que vale o empréstimo. Para entender direitinho, dê uma olhada naquela partícula e antipartícula exóticas que acabaram de fazer um empréstimo no caixa 7."

Alice olhou para onde a Gerente indicou e ficou impressionada. Na frente do caixa estava um par de figuras; uma era o oposto da outra, da mesma forma que o elétron e o pósitron que ela tinha visto antes. Este par, porém, era de figuras brilhantes e chamativas cuja presença ocupava tanto espaço que quase escondiam o caixa atrás delas. Alice ficou impressionada com a extravagância das duas, como não podia deixar de ser, mas quando ia abrir a boca para fazer um comentário, elas se dissiparam e desapareceram por completo.

"Aí está um exemplo do que eu estava dizendo", continuou a Gerente calmamente. "Aquele par pegou uma quantidade enorme de energia para sustentar a imensa massa de repouso necessária ao estilo de vida deles. Mas porque o

empréstimo era muito alto, o prazo para pagamento era tão curto, mas tão curto, que eles nem conseguiram sair do balcão antes de pagar o empréstimo de volta. Como essas partículas pesadas não conseguem ir muito longe antes de pagarem seus empréstimos de energia, elas são conhecidas no nosso ramo como partículas de *curto alcance*", completou a Gerente.

"A relação entre tempo e energia é a mesma para todos, então?", perguntou Alice, sentindo que talvez tivesse finalmente conseguido descobrir alguma coisa definitiva.

A maioria das partículas tem uma massa de repouso, e isso é o equivalente a uma quantidade grande de energia. Partículas virtuais sem energia inicial podem existir por um breve período "pegando emprestada" a energia de que precisam para sua massa de repouso como uma flutuação quântica.

"Exatamente! A constante de Planck é sempre a mesma, independente do momento e do lugar em que é aplicada. É a chamada *constante universal*, que significa simplesmente que ela será a mesma em qualquer lugar.

"Nós trabalhamos com energia aqui no Banco", continuou a Gerente, "porque aqui no País do Quantum, energia funciona como se fosse dinheiro. Assim como você dá nomes como reais ou dólares ao seu dinheiro, nós chamamos a unidade de energia mais usada aqui de *eV*. A quantidade de energia de uma partícula é o que determina aquilo que ela é capaz de fazer. A velocidade em que pode ir, o estado que pode ocupar, o quanto ela afetará outros sistemas, tudo isso depende da energia que a partícula possui.

"Nem todas as partículas são completamente destituídas de energia, como estas que estão na fila. Muitas delas têm suficiente energia própria e, nesse caso, conseguem mantê-la pelo tempo que quiserem. São elas que você deve ter visto andando lá fora. Toda partícula que necessita de uma massa, precisa ter energia suficiente para sustentar sua existência."

Ela apontou para outro aviso emoldurado na parede, que dizia:

Massa é Energia.
Energia é Massa.

"Se uma partícula quiser possuir massa, ela deve achar energia para sustentar essa massa. Se sobrar alguma energia, ela poderá ser usada para outras coisas. Nem todas as partículas se importam com massa. Há algumas "free-and-easy", partículas boêmias que não têm qualquer massa de repouso. Elas não são limitadas como a maioria, que precisa se virar para conseguir sua massa e por isso podem fazer uso até mesmo de pequenas quantidades de energia. Fótons são um bom exemplo. Um fóton não tem massa de repouso. Por isso, um fóton em repouso não pesa absolutamente nada. Mas veja bem, fótons não são encontrados em repouso, normalmente; eles estão sempre correndo por aí, à velocidade da luz, pois é deles que a luz é feita, entendeu? A luz não é um fluxo constante e suave. Ela é feita de um monte de *quanta*, pequenos pacotes de energia, o que faz com que o fluxo seja granulado. Esses quanta, ou partículas de luz, são chamados fótons. Quase tudo é feito de quanta de algum tamanho. É daí que vem o nome da física quântica. Veja todos esses fótons saindo do Banco agora. Os fótons são todos basicamente o mesmo, exatamente um como o outro, assim como os elétrons também são o mesmo, mas você pode notar que muitos deles são bem diferentes. Isso é porque eles possuem diferentes quantidades de energia. Alguns têm muito pouca energia, como aqueles fótons de radiofrequência que estão saindo agora."

Alice olhou para uma multidão de fótons que passava por ela, fluindo em volta de seus pés e saindo pela porta. Enquanto saíam, ela ouviu fragmentos de música, vozes empostadas e alguma coisa sobre "almoçar numa quinta-feira". "Eu não sabia que ondas de rádio eram feitas de fótons", confessou Alice. "Oh, sim. Elas são. Elas são fótons com um comprimento de onda bem grande, de baixa frequência e bem pouca energia. Elas andam em grupos, pois para terem efeitos perceptíveis é preciso um monte de uma vez. São figurinhas muito simpáticas, não são?", sorriu a companheira de Alice. "Já os fótons visíveis, aqueles que fazem a luz que as pessoas usam para enxergar, têm uma frequência maior e mais energia. O efeito de um deles pode ser bem perceptível. Os mais abastados, os grandes gastadores, são as ondas de raios X e os fótons gama. Cada um deles transporta muita energia e consegue fazer com que sua presença seja notada no ambiente, se decidirem interagir."

"Isso tudo é muito interessante", disse Alice, quase sincera, "mas eu ainda estou confusa quanto à própria ideia de energia. Poderia me dizer o que *realmente* é a energia?"

"Muito sensata a sua pergunta", respondeu a Gerente, satisfeita. "Infelizmente, não é fácil respondê-la. Venha para o meu escritório e eu tentarei lhe dar uma explicação."

A Gerente atravessou o salão, puxando Alice com rapidez até uma discreta mas intimidante porta no canto oposto, que levava a um escritório grande e moderno. Fazendo um sinal para que Alice se sentasse em uma confortável poltrona na frente de uma mesa larga, a Gerente deu a volta e se sentou em uma cadeira, do outro lado da mesa.

"Bem", começou ela, "energia é um pouco como o dinheiro no seu mundo, e isso também não é muito fácil de explicar com exatidão."

"Eu achei que fosse fácil", respondeu Alice. "Dinheiro é feito de moedas, como os meus trocados, ou pode ser de notas, também."

"Isso é papel-moeda, que certamente é uma forma de dinheiro. Mas o dinheiro não precisa estar em moedas e notas. Pode estar também numa caderneta de poupança, por exemplo, ou em ações de companhias, ou mesmo investido em construções. É como a energia, que pode assumir várias formas, muito diferentes umas das outras.

"A forma mais óbvia é a *energia cinética*", disse a Gerente, enquanto se ajeitava na cadeira. Sua voz tinha o tom complacente de quem se prepara para fazer uma longa palestra para uma plateia cativa.

"Uma partícula, ou qualquer objeto, terá energia cinética se estiver se movendo. Cinética significa movimento. Há outras formas de energia, também. Há a *energia potencial*, tal como a energia gravitacional de uma pedra que esteja

em cima de um morro e que por isso pode rolar para baixo. Há também a energia elétrica, ou a energia química, que é a energia potencial que os elétrons têm quando estão dentro de átomos. Há, como eu disse, a *energia da massa de repouso*, que muitas partículas precisam ter apenas para existir, para assim terem alguma massa. Uma forma de energia pode ser *convertida* em outra, assim como você deposita papel-moeda na sua caderneta de poupança. Posso dar um exemplo, se você olhar pela janela." Ela se inclinou e apertou um botão em sua mesa, e uma janela redonda se abriu na parede em frente a Alice. Através dela, Alice pôde ver uma montanha-russa. Enquanto olhava, um carrinho chegou ao topo de uma das subidas, fazendo uma pequena pausa antes de descer pelo outro lado.

"Aquele carrinho, como você está vendo, não está em movimento agora e por isso tem energia cinética *nula*. Mas ele está no alto, e sua posição lhe confere energia potencial. Quando começa a descer, ele perde altura e por isso perde

Energia existe em muitas formas. Ela pode se manifestar como a energia da massa de repouso de uma partícula, como a energia cinética que está envolvida no movimento de qualquer objeto e como os vários tipos de energia potencial. Uma forma de energia potencial é a energia gravitacional potencial de um objeto, que diminui à medida que o objeto cai.

também um pouco de sua energia potencial, que é convertida em energia cinética. É isso que o faz ir mais e mais rápido enquanto desce." Alice mal podia ouvir os excitados gritos de alegria dos passageiros do carrinho disparando sobre os trilhos.

"Se os trilhos fossem bem lisos e as rodas corressem sem fricção", continuou a desinteressada palestrante, "o carrinho voltaria ao repouso somente quando estivesse exatamente na mesma altura de onde partiu." Ela se inclinou de novo para mexer em alguma coisa na mesa. As distantes figuras na montanha-russa gritaram de surpresa quando viram que a subida seguinte diante deles adquirira subitamente uma altura bem maior. O carrinho diminuiu de velocidade até parar completamente antes de chegar ao topo. "Como foi que você fez isso?", Alice exclamou, espantada. "Nunca subestime a influência de um Banco", murmurou sua companheira. "Vamos ver o que acontece agora."

O carrinho começou a andar para trás nos trilhos em meio a gritos ainda excitados, mas não tão felizes quanto da última vez. A velocidade foi aumentando até o carrinho passar em disparada pelo ponto mais baixo e começar a subir o outro lado, diminuindo de velocidade. Ele foi parar justamente onde Alice o tinha visto pela primeira vez e aí começou a descer de novo.

"Assim ele continuaria indefinidamente, com a energia do carrinho mudando de energia potencial para energia cinética, e vice-versa, mas acho que você entendeu." A Gerente apertou outro botão na mesa e a janela se fechou.

"Este é o tipo de olhar óbvio com que se vê a energia no Mundo Clássico. Ela muda de forma de maneira contínua e suave. Você viu como o carrinho aumentou de velocidade progressivamente enquanto descia, sem grandes saltos. E não há nenhuma restrição óbvia sobre a quantidade de energia que qualquer objeto *pode ter*. Aqui no País do Quantum, não é assim que acontece frequentemente. Em muitas situações, uma partícula só pode ter um conjunto restrito de

Na teoria quântica, considerar energia e momentum é tão importante quanto considerar posição e tempo. Mais importante, na verdade, pois é mais fácil medir a energia de um átomo do que determinar onde ele está. Energia é, em um certo sentido, o equivalente do dinheiro no mundo físico. Energia é definida classicamente como "a capacidade de realizar trabalho". É necessário às partículas ter energia, se quiserem fazer alguma coisa, isto é, fazer transições de um estado a outro. Momentum é uma quantidade mais parecida com velocidade. É estar indo em uma determinada direção, enquanto energia é só uma grandeza sem direção associada. Quando se diz o quanto de energia existe, não resta mais nada a se dizer. Elétrons, se movendo da direita para a esquerda e da esquerda para a direita à mesma velocidade, têm a mesma energia cinética, mas *momenta** opostos.

valores de energia e só pode aceitar ou rejeitar energia em pacotes, que nós chamamos de *quanta.* No Mundo Clássico, todos os pagamentos de energia são feitos a prestação, com várias parcelas muito frequentes e bem pequenininhas infinitesimais mesmo, mas aqui é normal que sejam feitos em parcelas com determinado valor.

"Como você viu, a energia cinética é um tipo de energia teatral e espetacular — algo que os corpos só têm quando estão em movimento. Quanto mais massa tiver o corpo, mais energia cinética ele terá, e quanto mais rápido se mover, mais energia cinética terá, sem que a quantidade dependa de forma alguma da *direção* em que o corpo se move, apenas da velocidade. Neste sentido, há uma diferença em relação a outra quantidade muito importante que nos diz como uma partícula se move. É algo a que chamamos *momentum* ou quantidade de movimento. O momentum é como a medida da obstinação de uma partícula. Toda partícula está determinada a continuar a se mover exatamente da mesma maneira como se movia antes, sem nenhuma alteração. Se alguma coisa se move com rapidez, é preciso uma determinada força para torná-la mais lenta. Uma força é também necessária para alterar a *direção* do movimento, mesmo se a rapidez da partícula continuar a mesma. Uma mudança só na direção do movimento não faz com que a partícula perca sua preciosa energia cinética, já que isso depende apenas da rapidez do movimento e não de sua direção. Ainda assim, a partícula resiste a essa mudança

*Assim como o plural de *quantum* é *quanta,* o de *momentum* é *momenta.* (N.R.)

pois isso implica na alteração de seu momentum. Partículas são muito *conservadoras* nesse sentido.

"É tudo uma questão do que chamamos de *parâmetros*", continuou a Gerente entusiasmada. "Ao se descrever uma partícula, temos de usar os parâmetros corretos. Se quiser dizer onde ela está, você deverá falar de sua posição e tempo, por exemplo."

"Achei que só fosse preciso dizer em que posição ela está", objetou Alice. "Isso dirá onde ela está, não dirá?"

"Certamente que não. Você precisa do tempo, tanto quanto da posição. Se quiser saber onde um objeto está agora, ou onde estará amanhã, não adianta nada eu lhe dizer sua posição se é onde ele estava há uma semana. Você precisa saber o tempo *e* a posição, porque as coisas tendem a se movimentar, sabia?" Assim como se quiser saber o que uma partícula está *fazendo*, você deve descrever isso em termos de seu momentum e energia. Geralmente, é preciso ter a posição e o tempo se quiser saber onde uma partícula está."

"Aqui no País do Quantum, os parâmetros tendem a estar relacionados. Quando você tenta ver *onde* algo está, isso afeta o momentum deste objeto, quão rápido ele está se movendo. É outra forma da relação de Heisenberg que eu mostrei para você no Banco."

Há muitos tipos de energia. A energia cinética deve-se diretamente ao movimento. Uma bala de canhão em movimento tem uma energia que uma bala parada não tem. Energia da massa de repouso é outro tipo. A energia da massa de repouso de qualquer objeto é grande. Na mecânica newtoniana não havia necessidade de se considerar a energia da massa de repouso que, por não se alterar, não afetava as transferências de energia. Nos processos quânticos, as massas das partículas mudam frequentemente e a variação na energia da massa de repouso pode ser liberada para outras formas. Uma conversão de menos de um por cento da massa de repouso para uma pequena parte do material ocorre nas armas nucleares, por exemplo. Não é uma variação de energia muito grande em comparação com outros processos investigados na física de partículas, mas é devastadora quando liberada por um número significante de partículas dentro do nosso mundo cotidiano.

"É por isso, então", disse Alice, lembrando-se de um encontro anterior, "que o elétron com quem estive mais cedo não podia parar para que eu pudesse vê-lo sem ficar todo difuso?"

"Sem dúvida. As relações de incerteza afetam a todas as partículas desse modo. Elas sempre parecem algo indefinidas e é impossível localizá-las com precisão.

"Já sei o que vou fazer! Chamarei o Contador de Incertezas para lhe explicar isso", exclamou a Gerente. "O trabalho dele é fazer o balanço das contas. Por isso, ele tem de se preocupar o tempo todo com as flutuações quânticas." Ela estendeu um dedo elegante para apertar mais um botão entre os muitos que guarneciam sua mesa.

Houve uma breve pausa e, então, uma das portas espalhadas ao longo da parede da sala se abriu e uma figura entrou. Parecia muito um desenho do milionário pão-duro de uma edição ilustrada de "Um Conto de Natal", a não ser por sua expressão entretida e um incontrolável tique nervoso. Carregava um enorme livro-caixa que parecia inchar, agitando-se como se seu conteúdo estivesse em constante movimento.

"Acho que consegui", ele gritou, triunfante, tremendo tanto que quase deixou o livro cair. "Fechei o balanço das contas! Exceto as flutuações quânticas residuais, é claro", acrescentou, menos entusiasmado.

"Muito bom", respondeu a Gerente, distraída. "Agora eu gostaria que você levasse esta menina aqui, a Alice, e lhe explicasse as incertezas e as flutuações quânticas na energia de um sistema, essas coisas."

Com um aceno de adeus para Alice, a Gerente voltou à sua mesa e começou a fazer algo especialmente complicado com todos os botões que havia ali. O Contador levou Alice logo para fora, antes que mais alguma coisa acontecesse.

Eles chegaram a um escritório muito menor e muito mais entulhado, com uma escrivaninha alta e antiga, coberta de livros-caixa e pedaços de papel empilhados sobre o chão. Alice olhou um dos livros-caixa que estava aberto. A página

Torna-se conveniente falar das relações de *incerteza* de Heisenberg ao se descrever a estranha mescla de energia e tempo, de posição e momentum, que ocorre nos sistemas quânticos. O problema de tal descrição é que ela promove a crença de que a Natureza é, no fundo, incerta, que nada pode ser confiavelmente previsto e que, de fato, *vale qualquer coisa. Isto não é verdade!*

estava cheia de colunas de números, assim como outros livros-caixa que ela já tinha visto, a não ser pelo fato de que nestes livros os números ficavam mudando, em pequenas quantidades mas sem parar, quando ela olhava para eles.

"Certo!", disse a figura meio vitoriana na frente de Alice. "Quer saber sobre a Incerteza, não é isso, mocinha?"

"Por favor, se não der muito trabalho", Alice respondeu educadamente.

"Bem", ele começou, sentando-se à mesa e cruzando os dedos como os juízes fazem para aumentar a dignidade de sua aparência. O que não foi uma boa ideia, pois nesta hora ele passou a tremer tão violentamente, que os dedos ficaram presos uns nos outros e ele teve de parar para desembaraçá-los.

"Bem", repetiu, metendo as mão nos bolsos com força, por segurança. "Você não deve esquecer nunca que a energia *se conserva*, o que quer dizer que sempre há a mesma quantidade de energia. Ela pode ser convertida de uma forma a outra, mas a quantidade *total* é sempre a mesma. Pelo menos quando se pensa a longo prazo", ele acrescentou melancolicamente e suspirou, olhando para longe com pesar.

"Não é verdade, a curto prazo, então?", perguntou Alice, sentindo que devia dizer algo para continuar com a conversa.

"Não. Não totalmente. Na verdade, não mesmo, se o prazo for bem curto. Você viu a relação de Heisenberg no cartaz do lado de fora do Banco, não viu?"

"Ah, sim. Me disseram que ela ditava os termos dos empréstimos de energia."

"De certa forma, é o que ela faz. Mas de onde você acha que vem a energia para os empréstimos?"

"Do Banco, é claro."

"Oh, meu Deus, não!", disse o contador, levemente horrorizado. "Com toda certeza, não! Seria muito bom se o Banco começasse a emprestar energia de seu estoque próprio!

"Não", continuou, num tom de conspiração, olhando em volta com atenção, "Não é todo mundo que sabe, mas a energia não vem do Banco. Na verdade, ela não *vem* de nenhum lugar. Ela é uma flutuação quântica. A quantidade de energia que um determinado sistema possui não é absolutamente definida, mas oscila para mais e para menos, e quanto menor o período de tempo em que nós a examinamos, maior será sua variação.

"Neste sentido, energia não é como o dinheiro. O dinheiro conserva-se bem a curto prazo. Se quiser dinheiro para alguma coisa, tem de consegui-lo em algum lugar, não é mesmo? Pode sacar de uma conta bancária ou pedir emprestado a alguém, ou até roubar!"

"Eu não faria isso!", gritou Alice indignada, mas o Contador continuou, imperturbável.

"Não importa onde o conseguiu, ele tem de vir de algum lugar. Se você consegue mais, é porque outra pessoa tem menos. É isso que acontece a curto prazo imediato, a qualquer taxa.

"A longo prazo é diferente; é possível que haja inflação e você descubra que há muito dinheiro circulando. Todos têm mais, mas o dinheiro não parece poder comprar tanto quanto antes. Energia é o oposto. A longo prazo ela se conserva, a quantidade total continua a mesma, e não há nada parecido com a inflação econômica. Todo ano você vai precisar, em média, da mesma quantidade de energia para se transferir de um estado para o outro em um átomo. A curto prazo, por outro lado, a energia não se conserva bem. Uma partícula pode colher a energia de que precisa sem que ela tenha de *vir* de algum lugar; ela simplesmente aparece como flutuação quântica. Essas flutuações são consequência da relação de incerteza: a quantidade de energia que se tem é *incerta* e quanto menor o tempo que você a possuir, mais incerta a quantidade será."

"Isso me parece terrivelmente confuso", disse Alice.

"Nem precisa dizer!", respondeu enfaticamente seu acompanhante. "É mesmo! Você gostaria de ser contador quando os números nos seus livros estão flutuando sem parar?"

"Deve ser horrível", disse ela em solidariedade. "Como é que você consegue?"

"Normalmente, eu tento demorar o máximo possível quando estou fazendo o balanço das contas. Isso ajuda um pouco. Quanto maior for o período de tempo que eu gasto, menores as flutuações residuais, entende? Infelizmente, as pessoas ficam impacientes e vêm me perguntar se estou planejando ficar calculando o balanço para sempre. Esta seria a única maneira de se fazer isso", continuou ele, com honestidade. "Quanto mais tempo eu levar, menores serão as flutuações de energia. Se eu ficasse fazendo isso *para sempre*, não haveria *nenhuma* flutuação e minhas contas teriam um balanço perfeito", disse, triunfante. "Infelizmente, não me deixam em paz. Todos estão impacientes e ansiosos para fazer transições de um estado para outro, o tempo todo."

"Há mais uma pergunta que eu gostaria de fazer", Alice lembrou-se. "O que são esses estados de que tanto ouço falar? Poderia explicá-los para mim, por favor?"

"Não sou a melhor pessoa para isso. Como é tudo parte da Mecânica Quântica, você deveria ir ao Instituto de Mecânica e perguntar por lá."

"Foi o que me disseram antes", disse Alice. "Já que esse é o lugar onde devo perguntar, poderia me dizer como chego lá?"

Energia pode ser transferida de uma forma para outra, mas a energia total de um sistema é constante (contanto que não haja troca de energia com a vizinhança). Isto é uma verdade absoluta na mecânica clássica. É verdade a longo prazo em sistemas quânticos, mas, a curto prazo, o valor da energia está sujeito a flutuações. A palavra *flutuação* é melhor do que a palavra *incerteza*, uma vez que há consequências físicas reais. A penetração em barreiras durante o decaimento alfa de núcleos é um dos casos; falaremos de decaimento alfa no Capítulo 8 e já vimos a penetração de barreiras no Capítulo 1.

"Receio não poder *dizer-lhe* realmente como chegar lá. Não é assim que fazemos as coisas aqui. Mas posso conseguir que seja muito *provável* que você chegue lá."

Ele se virou e foi até o outro lado do seu escritório, até uma parede coberta com uma cortina empoeirada. Ao puxá-la bruscamente ele revelou a Alice uma fila de portas ao longo da parede. "Aonde leva cada uma delas?", ela perguntou. "Alguma delas leva ao Instituto de que você estava falando?"

"*Cada* uma delas poderia levá-la a quase qualquer lugar, incluindo, é claro, o Instituto. Mas a questão é que *todas* elas *muito provavelmente* a levam à porta do Instituto."

"Não compreendo", reclamou Alice, com um sentimento de confusão crescente que já estava se tornando familiar. "Qual é a diferença? Dizer que cada uma delas leva a quase qualquer lugar é a mesma coisa que dizer que todas elas podem levar a quase qualquer lugar."

"De jeito nenhum! É completamente diferente. Se você passar por qualquer *uma* delas, você vai acabar chegando em quase qualquer lugar, mas se passar por *todas* ao mesmo tempo, provavelmente vai chegar onde quer chegar, no pico do padrão de interferência."

"Que bobagem!", ela exclamou. "Não há como passar por todas as portas de uma só vez. Só é possível passar por uma porta de cada vez."

"Ah, isso é diferente! Claro, se eu vejo você passando por uma porta, você então *passará* por essa porta, mas se eu *não* a vir, é bem possível que você tenha passado por qualquer uma das portas. Neste caso, a regra geral se aplica."

Com um gesto, ele indicou um cartaz grande e chamativo, pregado na parede em frente à mesa, onde era impossível não ser visto. O cartaz dizia:

> Aquilo que não é proibido
> é compulsório!

"Esta é uma das regras mais básicas que temos aqui. Se é possível fazer várias coisas juntas, você não faz só uma, deve fazê-las todas. Assim, você evita ter de tomar decisões o tempo todo. Então vá, passe por todas as portas e ao fazer isso saia em todas as direções de uma só vez. Você vai ver que é muito fácil e logo chegará ao lugar certo."

"Isso é ridículo!", Alice protestou. "Não há maneira de passar por várias portas ao mesmo tempo!"

"Como pode dizer isso antes de tentar? Nunca fez duas coisas ao mesmo tempo?"

"Claro que sim", ela respondeu. "Já assisti televisão enquanto fazia meu dever de casa, mas isso não é a mesma coisa. Eu nunca fui em duas direções ao mesmo tempo."

"Sugiro que você experimente", respondeu o Contador, irritado. "Você nunca vai saber se pode fazer alguma coisa se não tentar. Este é o tipo de pessimismo que sempre atravanca o progresso. Se quiser ir a algum lugar aqui, você tem de fazer *tudo* que é possível, e tudo ao mesmo tempo. Não precisa se preocupar com onde você vai parar. A interferência cuida disso!"

"O que quer dizer? O que é interferência?", ela perguntou.

"Não há tempo para explicar. No Instituto de Mecânica vão lhe dizer isso. Agora vá, e eles lhe explicarão quando você chegar."

"Isso é horrível!", pensou Alice consigo mesma. "Todas as pessoas com quem falo me mandam apressadas para outro lugar, prometendo explicações quando eu chegar lá. Gostaria que alguém me explicasse tudo direito, de uma vez por todas! Tenho certeza de que não sei como posso ir em várias direções ao mesmo tempo. Parece impossível, mas ele está tão certo de que conseguirei, que acho que é melhor eu tentar."

Alice abriu uma porta e entrou.

Os muitos caminhos de Alice

Alice entrou pela porta da esquerda e se viu numa pequena praça de paralelepípedos com três becos estreitos que saíam dela. Escolheu o beco da esquerda. Antes que pudesse ir muito longe, chegou a uma ampla área pavimentada. No centro dela erguia-se um alto e escuro edifício, sem janelas nos andares mais baixos. Era ameaçador.

Alice entrou pela porta da esquerda e se viu numa pequena praça de paralelepípedos com três becos estreitos que saíam dela. Escolheu o beco da direita. Antes que pudesse ir muito longe, chegou a um parque com caminhos de pedra cobertos por ervas, que seguiam por entre árvores que pendiam melancólicas. Altas grades de ferro cercavam o parque e uma névoa úmida escurecia o panorama do lado de dentro.

Alice entrou pela porta da esquerda e se viu numa pequena praça de paralelepípedos com três becos estreitos que saíam dela. Escolheu o beco do meio. Antes que pudesse ir muito longe, chegou a outra pracinha, em frente a um prédio de aparência muito pobre.

Alice entrou pela porta da direita e se viu num beco estreito de onde saíam outros dois. Escolheu o beco da esquerda. Antes que pudesse ir muito longe, chegou a uma ampla área pavimentada. No centro dela erguia-se um alto e escuro edifício, sem janelas nos andares mais baixos. Era ameaçador e ela teve a clara impressão de que não deveria estar ali.

Alice entrou pela porta da direita e se viu num beco estreito de onde saíam outros dois. Escolheu o beco da direita. Antes que pudesse ir muito longe, chegou a um parque com caminhos de pedra cobertos por ervas, que seguiam por entre árvores que pendiam melancólicas. Altas grades de ferro cercavam o parque e uma névoa úmida escurecia o panorama do lado de dentro. Ela teve a clara impressão de que não deveria estar ali.

Alice entrou pela porta da direita e se viu num beco estreito de onde saíam outros dois. Escolheu o do meio. Antes que pudesse ir muito longe, chegou a outra pracinha, em frente a um prédio de aparência muito pobre. De certa forma, pareceu-lhe que este era o lugar certo para ela estar.

Alice entrou pela porta do meio e se viu de frente para uma parede com três passagens em arco que levavam a becos um pouco mais além. Escolheu o beco da esquerda. Antes que pudesse ir muito longe, chegou a uma ampla área pavimentada. No centro dela erguia-se um alto e escuro edifício, sem janelas nos andares mais baixos. Era ameaçador e desta vez a impressão de que não deveria estar ali era muito forte.

◆❖◆

Alice entrou pela porta do meio e se viu de frente para uma parede com três passagens em arco que levavam a becos um pouco mais além. Ela não seguiu pelo beco da direita, pois este caminho de algum jeito parecia ser completamente errado.

Alice entrou pela porta do meio e se viu de frente para uma parede com três passagens em arco que levavam a becos um pouco mais além. Escolheu o beco do meio. Antes que pudesse ir muito longe, chegou a outra pracinha, em frente a um prédio de aparência muito pobre. Ela agora tinha certeza de que este era o lugar onde deveria estar.

Alice observou o prédio mais de perto. Num cartaz desbotado junto à porta ela conseguiu ler as palavras "Instituto de Mecânica". Era ali mesmo que ela queria chegar!

Partículas que podem tomar diferentes caminhos existem como uma superposição (soma) de amplitudes. Cada caminho possível contribui com uma amplitude, ou opção, para o comportamento da partícula e todas as amplitudes estão presentes, juntas. As diferentes amplitudes podem *interferir*, combinando-se e se concentrando em certas regiões para aumentar a probabilidade de se encontrarem partículas ali. Em outros lugares, podem se cancelar mutuamente para diminuir a probabilidade de se encontrar partículas. Amplitude e interferência serão discutidas no próximo capítulo.

O Instituto de Mecânica 3

Alice examinou o prédio que estava à sua frente. Era uma modesta estrutura de tijolos, já meio castigada pelo tempo. Na frente, havia um cartaz que dizia se tratar do "Instituto de Mecânica". Ao lado do cartaz havia uma porta, em que alguém tinha pregado um aviso: "Não bata. Apenas entre." Alice experimentou e viu que a porta não estava trancada. Abriu-a e entrou.

Do outro lado da porta havia uma sala ampla e escura. No meio da sala havia uma área iluminada e clara. Dentro desta limitada região era possível distinguir alguma coisa com razoável nitidez. Mais para além, jazia uma extensão aparentemente ilimitada de escuridão na qual nada significativo podia ser discernido. Na mancha de luz ela viu uma mesa de bilhar com duas figuras se movendo em volta. Alice andou em sua direção e quando se aproximou, eles se voltaram para olhar para ela. Era uma dupla bem estranha. Um era alto e angular e usava uma camisa branca engomada com colarinho duro e também alto, uma gravata estreita e, para surpresa de Alice, um macacão. Seu rosto era aquilino, e ele tinha costeletas fartas. Ele olhou para ela com tanta intensidade que Alice sentiu que ele podia perceber até mesmo o menor detalhe naquilo que observava. Seu companheiro era menor e mais jovem. Seu rosto redondo era decorado com uns óculos grandes, de armação de metal; era difícil perceber para onde ele estava olhando, ou mesmo onde exatamente estavam seus olhos. Ele vestia um avental branco de laboratório sob o qual aparecia uma camiseta com o desenho de algo vagamente atômico na frente. Não era fácil dizer com certeza o que era, pois as cores estavam desbotadas.

"Com licença, este é o Instituto de Mecânica?" Alice perguntou, mais para puxar conversa. Pelo cartaz, ela já sabia que era.

"Sim, minha cara", disse o mais alto e impressionante dos dois. "Eu sou um Mecânico Clássico do Mundo Clássico, e estou visitando meu colega, aqui, que é um Mecânico Quântico. Qualquer que seja seu problema, tenho certeza de que um de nós poderá ajudá-la. É só esperar até que terminemos nossas jogadas."

Ambos se viraram para a mesa de bilhar. O Mecânico Clássico mirou com cuidado, considerando as ínfimas partes de todos os ângulos envolvidos. Finalmente, deu a tacada bem à vontade. A bola bateu e voltou numa impressionante série de ricochetes e acabou por entrar em colisão com a bola vermelha, que foi parar com precisão dentro de uma das caçapas. "Aí está", exclamou com satisfação ao tirar a bola de dentro do buraco. "É assim que se faz, está vendo? Observação cuidadosa e exata, seguida de ação precisa. Procedendo assim, você obtém o resultado que escolher."

Seu companheiro não respondeu, tomou seu lugar na mesa e fez um movimento vago com seu taco. Após suas experiências anteriores, Alice não ficou surpresa ao ver a bola disparar em todas as direções ao mesmo tempo, e não havia lugar na mesa onde ela pudesse dizer com certeza que a bola não havia estado, embora não pudesse dizer igualmente onde a bola havia estado. Após um intervalo, o jogador olhou dentro de uma das caçapas, enfiou a mão e tirou a bola vermelha.

"Se não se importa que eu faça uma observação", disse Alice, "parece que você joga de forma muito diferente."

"É isso mesmo", respondeu o Mecânico Clássico. "Odeio quando ele dá tacadas desse jeito. Gosto que tudo seja feito com muito cuidado e precisão e que todos os detalhes sejam planejados antecipadamente. Contudo", acrescentou, "imagino que você não tenha vindo aqui para nos ver jogar bilhar, por isso, pode nos dizer o que é que quer saber."

Alice contou novamente todas as suas experiências desde que tinha chegado ao País do Quantum e explicou como tinha achado tudo muito confuso e como tudo parecia estranho e indefinido. "Eu nem sei como encontrei este prédio", concluiu. "Me disseram que a interferência provavelmente me levaria para o lugar certo, mas não consegui entender o que aconteceu."

"Bem", disse o Mecânico Clássico, que parecia ter escolhido a si mesmo para ser o porta-voz da dupla. Eu não posso dizer que entendi tudo também. Como eu já disse, gosto das coisas claras, com a causa sendo seguida pelo efeito, com tudo muito claro e previsível. Para dizer a verdade, muitas coisas que acontecem aqui não fazem o menor sentido para mim", ele murmurou, num tom de confidência. "Eu saí do Mundo Clássico só para dar uma voltinha. Lá é um lugar esplêndido, onde tudo acontece com precisão mecânica. A causa é seguida do efeito de uma maneira maravilhosamente previsível, o que faz com que tudo faça sentido e que você saiba o que vai acontecer. E tem mais: os trens estão sempre na hora", acrescentou.

Ver nota 1 no final do Capítulo.

"Parece impressionante", disse Alice com educação. "Para ser assim tão organizado, tudo deve ser controlado por computadores."

"Não", respondeu o Mecânico Clássico. "Não usamos computador algum. Na verdade, coisas eletrônicas não funcionam no mundo clássico. Somos melhores com máquinas a vapor. Eu não me sinto muito à vontade, aqui no País do Quantum. O meu amigo aqui está muito mais familiarizado com as condições quânticas.

"Contudo", ele continuou, mais seguro de si, "eu posso lhe dizer o que é interferência. Isso acontece na mecânica clássica também. Siga-me e demonstrarei como funciona."

Ele levou Alice através de uma porta, depois por um longo corredor e para dentro de uma outra sala. Esta sala estava bem iluminada, com uma luz clara que iluminava todos os cantos da sala e que não parecia vir de nenhuma fonte específica. Eles estavam de pé numa estreita passarela de madeira, que dava a volta na sala, encostada nas paredes. O chão no meio da sala estava coberto com uma espécie de substância cinza brilhante que não parecia sólida. Flashes de luz aleatórios atravessavam este material, assim como um televisor com o canal fora do ar.

O guia explicou para Alice, "Esta é a sala de *gedanken*, que quer dizer 'sala de pensar'. Você deve saber que em alguns clubes existem salas de escrever e salas de ler. Bem, nós temos uma sala de pensar. Aqui, os pensamentos das pessoas tomam forma, para que todos possam vê-los. Aqui podemos fazer *experimentos de pensamento*, que nos permitem descobrir o que aconteceria em várias situações físicas, sendo muito mais baratos do que os experimentos de verdade, é claro."

"Como é que funciona?", perguntou Alice. "É só pensar em alguma coisa e ela aparece?"

"Correto; em essência, é só o que precisa fazer."

"Oh, por favor, posso experimentar?", Alice perguntou.

"Certamente, se quiser."

Alice pensou com intensidade na substância móvel e brilhante. Para sua surpresa e alegria, onde antes não havia nada, ela viu um grupo de coelhinhos peludos saltando para lá e para cá.

"Sim, muito bonito", disse o Mecânico, muito impaciente. "Mas isso não ajuda a explicar a interferência." Ele fez um gesto e todos os coelhos desapareceram, a não ser por um pequenininho que ficou, sem ser notado, num dos cantos da área.

"Interferência", ele começou, com autoridade, "é algo que acontece com as ondas. Existem vários tipos de ondas nos sistemas físicos, mas é mais simples pensar nas ondas da água." Ele olhou com força para o chão, que, bem na frente dos olhos de Alice, se transformou num lençol d'água, com pequenas ondas percorrendo a superfície. Num dos cantos, o coelho afundou com um "plop", quando o chão debaixo dele virou água. Ele tentou sair e olhou para eles. Então ele se sacudiu, olhou com pesar para seu pelo encharcado, e sumiu.

"Agora, um pouco de ondas", continuou o Mecânico Clássico, sem prestar atenção ao infeliz coelho. Alice olhou sem vontade para o chão e uma onda veio estourando através da superfície até quebrar dramaticamente sobre uma praia, num dos lados do chão.

"Não, não é este tipo de onda que queremos. Essas ondas grandes que estouram são complicadas demais. Nós queremos aquele tipo de onda mais suave, que se espalha quando você joga uma pedra na água." Enquanto ele falava, uma série de ondas circulares começou a se espalhar, partindo do centro da água.

"Mas precisamos pensar no que chamamos de *ondas planas*, que se movem todas na mesma direção." As ondulações circulares se transformaram numa série de longos sulcos paralelos, como um campo arado e molhado, todas se movendo através do chão, de um lado a outro.

"Agora, poremos uma barreira no meio." Um obstáculo baixo surgiu no centro, dividindo o chão em dois. As ondas iam até a barreira e colidiam contra ela, mas não havia jeito de passarem para o outro lado, que agora estava calmo e parado.

"Fazemos um buraco na barreira agora, para que as ondas possam atravessar por ele." Uma fenda pequena, muito benfeita, apareceu um pouco à esquerda do ponto central da barreira. Ao passar por essa brecha, as ondas se espalhavam circularmente pela calma região do outro lado da barreira.

"Agora veja o que acontece quando temos duas fendas na barreira", exclamou o Mecânico. Instantaneamente, havia uma fenda à esquerda e outra à direita do ponto central. Ondulações circulares espalhavam-se a partir de ambos. Onde elas se encontravam, Alice pôde ver que a água subia e descia muito mais do que quando havia somente uma fenda na barreira, enquanto em outros lugares ela mal se movia.

"Você vai entender quando congelarmos o movimento. É claro que é possível fazer isso num experimento pensado." O movimento na água foi interrompido e as ondulações ficaram congeladas no lugar em que estavam, como se toda a área tivesse sido abruptamente transformada em gelo.

"Vamos marcar agora as regiões de amplitude máxima e mínima", continuou, determinado, o Mecânico Clássico. "A amplitude mede o quanto a água se deslocou a partir do nível que tinha quando estava parada." Duas setas fluorescentes apareceram, flutuando no espaço por sobre a superfície. Uma tinha a cor das maçãs verdes e estava apontando para um local onde a perturbação na superfície tinha sido maior. A outra seta era de um vermelho meio pálido e apontava o local onde a superfície quase não tinha sido perturbada.

"Você poderá ver o que está acontecendo se virmos o efeito de só uma fenda de cada vez", ele disse, com um entusiasmo crescente. Uma das fendas na barreira desapareceu e só sobraram as ondulações circulares que partiam da outra fenda, ainda congeladas em suas posições como se fossem feitas de vidro. "Agora, vamos mudar para a outra fenda." Alice percebeu que a diferença era muito pequena entre um local e outro. A posição da fenda tinha se alterado e o padrão de ondulações circulares que passava por ela se moveu um pouco, mas no aspecto geral parecia o mesmo. "Temo que não consiga entender o que você está tentando me mostrar", ela disse. "Os dois casos parecem o mesmo para mim."

"Vai ser mais fácil ver a diferença se eu passar rapidamente de um caso para outro." A fenda na barreira começou a pular de um lado para outro, primeiro para a direita e depois para a esquerda. Enquanto isso acontecia, o padrão de ondulações avançava e retrocedia, primeiro para a direita, depois para a esquerda.

"Veja o padrão de ondas em baixo da seta verde", disse o Mecânico, que, aos olhos de Alice, estava mais excitado com o assunto do que deveria. Ela, porém, fez o que ele pediu e percebeu que no local indicado pela seta havia uma elevação na água, em ambos os casos. "Cada fenda na barreira produziu uma onda que se eleva neste ponto particular. Quando as duas fendas estão abertas, a onda é duas vezes mais alta aqui e a elevação e a depressão totais são muito maiores do que quando só há uma fenda. A isso chamamos de interferência *construtiva.*

"Agora veja o padrão das ondas em baixo da seta vermelha." Ali Alice viu que, enquanto uma fenda causava uma elevação naquele ponto, a outra produzia uma depressão. "Veja que nesta posição a onda de uma fenda sobe enquanto a onda da outra desce. Quando as duas se encontram, elas se cancelam mutuamente e, no total, a perturbação desaparece. A isso chamamos de interferência *destrutiva.*

"Isso é, na verdade, tudo que há para saber sobre interferência de ondas. Quando duas ondas se atravessam e se combinam, suas amplitudes, as quantidades que medem o quanto sobem ou descem, também se combinam. Em alguns lugares, as ondas participantes estão todas indo no mesmo sentido, então as perturbações se somam e o resultado final é considerável. Em outros lugares, elas vão em sentidos opostos e se cancelam mutuamente."

"Sim, acho que entendi", ela disse. "Quer dizer que as portas do Banco funcionavam como as fendas na barreira, causando um grande efeito nos lugares onde eu precisava ir e cancelando-se mutuamente em outras posições. Mas ainda não vejo como isso se aplica ao meu caso. Com suas ondas de água, você diz que há mais da onda em um lugar e menos no outro por causa desta interferência, mas a onda está espalhada por toda a região, enquanto eu estou em um só lugar de cada vez."

"Exatamente!" gritou o Mecânico Clássico triunfante. "É esse o problema. Como você mesma disse, você está em um só lugar. Você é mais como uma partícula do que como uma onda, e as partículas se comportam de maneira bem diferente no sensato mundo clássico. Uma onda se espalha por uma ampla área e nós só vemos uma pequena porção dela em qualquer posição. Por causa da interferência, você pode ter mais ou menos dela em posições diferentes, mas, ainda assim, você estará olhando para apenas uma pequena parte da onda. Uma partícula, por outro lado, está localizada em algum ponto. Olhando em posições diferentes, você vê a partícula inteira ou ela simplesmente não está lá. Na Mecânica Clássica as partículas não exibem efeitos de interferência, como provaremos."

Ele virou para o chão da sala de *gedanken* e olhou-o com firmeza. De um espelho d'água, a superfície se transformou em uma área blindada com barreiras reforçadas ao longo do perímetro, altas o bastante para eles se protegerem atrás delas. De um lado a outro, no meio do chão, onde antes havia a barreira de ondas, erguia-se uma parede blindada com uma estreita abertura um pouco à esquerda do centro. "Podemos ver agora o mesmo arranjo, só que fiz umas alterações para que possamos observar partículas rápidas. Elas são mais ou menos como as balas de uma arma, e é por isso mesmo que vamos usar uma."

A interferência é, classicamente, uma propriedade das ondas. Ela ocorre quando amplitudes, ou perturbações, de diferentes fontes se encontram e se combinam somando em alguns lugares e subtraindo ou cancelando em outros. Isso resulta em regiões de atividade intensa ou baixa, respectivamente. Pode-se ver esse efeito no padrão produzido quando as ondulações deixadas por dois barcos se cruzam umas com as outras. Os efeitos da interferência podem causar também a má recepção de um televisor quando as ondas refletidas por um prédio próximo interferem com o sinal direto. A interferência requer distribuições extensas e sobrepostas. Na Física Clássica, partículas ocupam uma posição determinada e não produzem interferência.

Ele fez um gesto em direção a uma das extremidades da sala onde apareceu uma metralhadora de aparência desagradável, com muitas caixas de munição empilhadas ao lado. "Esta arma não está muito bem apoiada e por isso não atira sempre na mesma direção. Algumas balas atingirão a fenda na parede e passarão para o outro lado, como parte da onda fez no nosso último experimento pensado. A maioria delas, é claro, atingirá a parede, ricocheteando. Oh, isso me faz lembrar", ele disse, de repente. "Devemos usar isso, caso alguma bala nos atinja ao ricochetear." Pegando um par de capacetes de aço, ele estendeu um para Alice.

"É mesmo necessário?", ela perguntou. "Se o experimento é só pensado, essas balas são também pensadas e não podem nos causar dano algum."

"Talvez, mas você pode *pensar* que foi atingida por uma bala e isso não seria muito legal."

Alice colocou o capacete. Ela não sentia o peso dele sobre sua cabeça, nem achava que ele adiantaria para alguma coisa, mas continuar discutindo também não seria muito útil. O Mecânico retesou seu corpo, acenou como se fosse um imperador e a metralhadora começou a disparar, fazendo muito barulho. As balas saíam num fluxo irregular. A maioria acertava a parede e zumbia para longe em todas as direções, mas algumas passavam pelas aberturas na barreira e chegavam à parede do outro lado. Alice ficou intrigada ao perceber que, quando uma bala atingia a parede do outro lado da barreira, ela parava imediatamente e se elevava devagar para ficar flutuando no ar bem acima do ponto onde atingira a parede.

"Como você pode ver, enquanto a onda de água se espalhava por toda a parede além da fenda, uma bala a atingirá em apenas uma posição. Neste experi-

mento, porém, há uma maior *probabilidade* da bala passar direto pela fenda do que resvalar na borda da abertura e ir parar muito para o lado. Se esperarmos um pouco mais, veremos como a probabilidade varia para os diferentes pontos ao longo da parede." Enquanto o tempo passava e o ar ia ficando cheio de balas voadoras, o número daquelas que flutuavam perto da parede crescia com regularidade. Enquanto observava, Alice começou a distinguir um padrão que ia se formando.

"Veja, já dá para perceber como as balas que passaram pela fenda se distribuem pela parede", disse o Mecânico quando a arma parou. "A maioria foi parar diretamente na direção da abertura, e o número vai decrescendo tanto para um lado quanto para outro. Agora veja o que acontece quando a fenda é deslocada um pouco para a direita." Com outro gesto seu, as balas flutuantes caíram no chão e a metralhadora recomeçou. Apesar de a demonstração ser barulhenta e bem perturbadora, Alice percebeu que o resultado final foi o mesmo que da vez anterior. Sinceramente, foi decepcionante.

"Como pode ver", disse o Mecânico com uma confiança indevida, "a distribuição é parecida com a anterior, mas levemente deslocada para a direita, uma vez que o centro agora está do outro lado da abertura." Alice não percebeu diferença nenhuma, mas estava pronta para aceitar o que ele dissesse.

"Agora", disse o Mecânico em tom teatral, "vejamos o que acontece quando *ambas* as fendas estão presentes." Até onde Alice pôde perceber, não fazia a menor diferença. Exceto que, com as duas fendas, mais balas passariam e atingiriam a parede. Desta vez, ela decidiu fazer um comentário. "Receio que, para mim, todas as vezes tenham sido iguais", ela disse, desculpando-se.

"Exatamente!", respondeu satisfeito o Mecânico. "Só que, como você deve ter observado, o centro da distribuição agora fica no meio, entre as fendas. Tínhamos uma distribuição para a probabilidade de as balas passarem pela fenda da esquerda e outra distribuição para as que passariam pela fenda da direita. Com as duas fendas, as balas podem passar por qualquer uma delas. A distribuição total, então, será a soma das probabilidades obtidas para cada uma das fendas, já que as balas devem passar por uma *ou* por outra. Elas não podem passar por *ambas* ao mesmo tempo", ele acrescentou, dirigindo-se ao Mecânico Quântico que acabava de entrar na sala.

"É o que você diz", respondeu o colega, mas como pode ter tanta certeza? Veja só o que acontece quando repetimos nosso experimento de *gedanken* com elétrons."

Desta vez, quem fez um gesto em direção ao chão da sala foi o Mecânico Quântico. Seus gestos não eram tão decididos quanto os de seu colega, mas pareceu funcionar do mesmo jeito. A metralhadora e as paredes blindadas desapareceram. O chão voltou a ser do material brilhante que Alice tinha visto a princípio, mas a parede a que ela já tinha se acostumado ainda estava lá, atravessando o chão de lado a lado, com as duas fendas no meio. Do outro lado da sala estava uma grande tela com um brilho esverdeado. "Esta é uma tela fluorescente", murmurou o Mecânico para Alice. "Ela emite um flash de luz toda vez que um elétron a atinge, assim, podemos usá-la para detectar onde eles estão."

Do outro lado, onde antes estava a metralhadora, havia outra arma. Esta era pequenininha, parecida com uma versão reduzida daqueles canhões de onde são disparados os homens-bala nos espetáculos de circo. "O que é isso?", Alice perguntou.

"É um *canhão de elétrons*, é claro." Olhando com mais cuidado, Alice viu uma escadinha que levava à boca do canhão, com uma fila de elétrons esperando a sua vez de serem disparados. Eles estavam bem menores desde a última vez em que os vira. "Mas é claro", ela disse para si mesma, "estes são apenas elétrons *pensados*."

Ao olhar para eles, ela se surpreendeu ao vê-los acenando para ela. "Como será que eles me conhecem?", ela se perguntou. "Devem ser *todos* o mesmo elétron que eu conheci antes!"

"Iniciar disparos!", comandou o Mecânico Quântico, e os elétrons subiram os degraus depressa, entraram no canhão e eram disparados, num fluxo regular. Alice não conseguia vê-los atravessar a sala, mas via um clarão de luz no lugar onde cada um deles atingia a tela. Os clarões, ao se apagarem, deixavam uma estrelinha brilhante que ficava marcando o lugar onde os elétrons tinham aterrissado.

Assim como a metralhadora de antes, o canhão de elétrons continuou a disparar a corrente de elétrons e um monte de estrelinhas começou a se agrupar, começando a indicar uma distribuição reconhecível. A princípio, Alice não tinha certeza do que estava vendo, mas quando o número de estrelinhas começou a aumentar, ficou claro que sua distribuição era bem diferente daquela obtida com as pilhas de balas da experiência anterior.

Em vez de uma queda lenta e progressiva a partir de um número máximo no centro, em direção às laterais, as estrelas estavam distribuídas em bandas, com espaços negros entre elas, onde havia poucas ou nenhuma estrela. Alice percebeu que, de certa forma, esse caso era parecido com o das ondas de água, onde há regiões de alta atividade com áreas calmas intercaladas. Agora, havia regiões onde muitos elétrons tinham sido detectados, com muito poucos deles nas áreas intermediárias. Por causa disso, Alice não ficou surpresa quando o Mecânico Quântico disse, "O que você está vendo aí é o claro efeito da interferência. Com as ondas de água, tínhamos regiões de maior e menor movimento na superfície. Aqui, cada elétron será detectado em apenas uma posição, mas a *probabilidade* de detectar um elétron varia de uma posição para outra. A distribuição de diferentes intensidades de onda que você viu antes foi substituída por uma distribuição de probabilidades. Com um ou dois elétrons tal distribuição não é óbvia, mas usando um monte de elétrons, você vai encontrar mais deles nas regiões de alta probabilidade. Com apenas uma abertura, veríamos que a distribuição decresceria aos poucos em direção aos lados, assim como as balas e as ondas de água se comportaram quando havia só uma fenda. Neste caso vemos que, quando há duas fendas, as amplitudes das duas interferem uma na outra, produzindo picos e depressões óbvias na distribuição de probabilidade. O comportamento dos elétrons é muito diferente do das balas do meu amigo."

"Não estou entendendo," disse Alice, e essa pareceu a única coisa que dizia na vida. "Quer dizer que há tantos elétrons que, de algum jeito, os elétrons que passam por um buraco estão interferindo com aqueles que atravessam o outro buraco?"

"Não. Não é isso que eu quero dizer. Não mesmo. Você verá agora o que acontece quando disparamos somente um elétron." Ele bateu palmas e disse "Ok, vamos fazer de novo, mas devagar, desta vez." Os elétrons entraram em ação ou, para ser mais preciso, um deles entrou no canhão e foi disparado. Os outros continuaram sentados onde estavam. Pouco depois, outro elétron subiu até a boca do canhão e foi disparado também. Continuaram assim por algum tempo, até que Alice começou a perceber o mesmo padrão de agrupamentos e intervalos vazios aparecendo. Esses agrupamentos e intervalos não eram tão claros como antes porque a baixa intensidade com que os elétrons iam chegando fazia com que não

A evidência experimental mais forte do comportamento quântico é fornecida pelo fenômeno da interferência. Quando um resultado pode ser obtido por uma série de maneiras, há uma amplitude para cada maneira possível. Depois, se estas amplitudes são juntadas umas com as outras, podem se somar ou subtrair e a distribuição total de probabilidades mostrará máximos e mínimos distintos: bandas intensas e bandas vazias que se alternam. Na prática, esse efeito tem sido sempre observado onde se espera encontrá-lo. É uma forma de interferência que produz os diferentes conjuntos de estados de energia que ocorrem nos átomos. Apenas aqueles estados que "se adequam perfeitamente" ao potencial vão interferir positivamente para atingir um máximo elevado na probabilidade. Quaisquer outros estados se cancelariam mutuamente, e, portanto, não existem.

houvesse muitos deles nos agrupamentos, mas ainda assim o padrão era bem claro. "Aí está. Está vendo que o efeito da interferência funciona mesmo quando há apenas um elétron presente de cada vez? Um elétron sozinho pode exibir interferência. Ele pode atravessar ambas as aberturas e interferir consigo mesmo, por assim dizer."

"Mas isso é besteira!", exclamou Alice. "Um elétron não pode atravessar as duas aberturas. Como disse o Mecânico Clássico, não faz o menor sentido." Ela foi até a barreira e a examinou mais de perto para tentar ver por onde os elétrons passavam ao atravessar a barreira. Infelizmente, a luz era muito fraca e os elétrons se moviam com tamanha rapidez que ela nunca conseguia distinguir por que abertura eles passavam. "Isso é ridículo", ela pensou. "Preciso de mais luz." Alice tinha esquecido que estava num "quarto pensante" e se surpreendeu quando um holofote fortíssimo apoiado num tripé apareceu ao lado do seu cotovelo. Ela rapidamente dirigiu o facho de luz para as duas aberturas e ficou satisfeita ao perceber que havia um flash visível perto de uma ou outra abertura quando o elétron passava. "Consegui!", ela gritou. "Consigo ver os elétrons passarem pelas frestas e é exatamente como eu disse. Cada um deles passa por somente uma abertura."

"Aha!", respondeu empolgado o Mecânico Quântico. "Mas você viu o que aconteceu com o padrão de interferência?" Alice virou-se para olhar para a parede atrás da barreira e se espantou ao ver que agora a distribuição de estrelinhas concentrava-se ao máximo no centro e ia suavemente decaindo para os lados, exatamente como a distribuição clássica das balas. Não era justo.

"É sempre assim e não há nada que possamos fazer", disse o Mecânico Quântico, consolando-a. "Quando não há observação para saber por qual fenda os elétrons passam, ocorre a interferência entre os efeitos das duas fendas. Se você observar os elétrons, verá que, de fato, eles *estão* em um lugar ou outro e não em ambos *mas*, neste caso, eles se comportam como o esperado, isto é, como se tivessem passado por apenas uma fenda, não causando interferência. O problema é que não há uma maneira de se observar os elétrons sem perturbá-los, como quando você pôs a luz sobre eles. O simples ato de observar força os elétrons a escolher um percurso. Não importa se você anota por qual buraco cada elétron passou. Não importa se você presta atenção ou não nos buracos. Qualquer observação que pudesse lhe dizer isso, perturba os elétrons e interrompe a interferência. Os efeitos da interferência só acontecem quando não há maneira de saber por qual fenda o elétron passou. Se você sabe ou não, isso não importa.

"É assim: quando há interferência, parece que cada elétron está atravessando ambas as fendas. Se tentar averiguar, verá que cada um dos elétrons só passa por uma fenda, mas então o efeito de interferência desaparece. Não há como escapar disso!"

Alice dedicou um pouco de reflexão ao assunto. "Isso é totalmente ridículo!", concluiu.

"Certamente", respondeu o Mecânico Quântico com um sorriso satisfeito. "Totalmente ridículo, eu concordo, mas é assim que a Natureza funciona e nós temos de acompanhá-la. Complementaridade, é o que digo!"

"Poderia me dizer o que quer dizer *complementaridade*?", Alice perguntou.

"Claro. Complementaridade quer dizer que há certas coisas que não se pode saber. Não ao mesmo tempo, pelo menos."

"Não é isso que complementaridade quer dizer", ela protestou.

"Quando eu digo, é isso que quer dizer", respondeu o Mecânico. "As palavras significam aquilo que eu quiser. É tudo uma questão de quem é o mestre. Complementaridade, é o que eu digo."

"Você já disse isso", disse Alice, sem se deixar convencer totalmente pela última afirmação do Mecânico.

"Não, não disse", respondeu o Mecânico. "Desta vez quero dizer que há perguntas que não se pode fazer a uma partícula, tais como onde ela está e a que velocidade se move. Na verdade, não significa muita coisa falar de um elétron *ocupando* uma determinada posição."

"Isso é muita coisa para dizer com uma só palavra!", Alice disse com ironia.

"Com certeza", respondeu o Mecânico, "mas quando faço uma palavra trabalhar horas extras como agora, eu sempre pago mais. Acho que não posso explicar o que está acontecendo de verdade com os elétrons. É normalmente exigido de uma explicação que ela faça sentido com termos e palavras que você já conhece e a física quântica não faz isso. Parece que não faz sentido, mas funciona. Dá até para dizer com segurança que ninguém entende a física quântica. Não consigo *explicar* para você mas posso *descrever* o que está acontecendo. Venha para o quarto dos fundos e eu verei o que posso fazer."

Ver nota 2 no final do Capítulo

Na mecânica quântica, partículas são como ondas e ondas são como partículas. Elas são a mesma coisa. Tanto os elétrons quanto a luz exibem os efeitos da interferência, mas, quando detectados, são percebidos como quanta individuais e cada um é observado em um lugar determinado.

A interferência entre os possíveis percursos que uma partícula pode percorrer resultará em uma distribuição de probabilidades com mínimos e máximos bem pronunciados, onde é mais *provável* que uma partícula seja detectada em uma posição do que em outra.

Eles deixaram a sala de *gedanken*, cujo chão tinha voltado ao seu costumeiro aspecto brilhante, e prosseguiram por um corredor até outra sala mobiliada com umas poucas poltronas. Quando os dois já tinham se sentado, o Mecânico continuou: "Quando falamos de uma situação como os elétrons passando pelas aberturas, nós a descrevemos usando uma *amplitude*. É mais ou menos como as ondas que você viu, e é de fato chamada, com frequência, de *função de onda*. A amplitude pode passar por duas aberturas ao mesmo tempo e não é sempre positiva, como a probabilidade. A menor probabilidade que se pode ter é zero, mas a amplitude pode ser positiva ou negativa, com os diferentes percursos podendo se anular ou somar-se uns com os outros e resultar em interferência, como ocorre com as ondas de água."

"Onde estão as partículas então?", perguntou Alice. "Por qual abertura elas passam, na verdade?"

"Na verdade, a amplitude não diz isso. Contudo, se elevamos a amplitude *ao quadrado*, isto é, se a multiplicarmos por ela mesmo para que sempre dê um número positivo, pode-se obter uma *distribuição de probabilidades*. Se você escolher qualquer posição determinada, é esta distribuição que vai dizer a probabilidade de, ao se observar uma partícula, achá-la naquela posição."

"E isso é tudo que ela diz?", exclamou Alice. "Devo dizer que me parece insuficiente. Nunca se sabe onde alguma coisa estará."

"Sim, isso é verdade. Não se pode dizer onde *uma* partícula estará, com exceção de que não estará onde a probabilidade é zero, é claro. Se você tiver um grande número de partículas, porém, pode ter certeza de que encontrará mais partículas onde a probabilidade é mais alta e muito menos delas onde a probabilidade é baixa. Se você tiver uma número *muito* grande de partículas, é possível dizer com bastante precisão o lugar onde tantas partículas estarão. Este é o caso daqueles operários de quem você estava falando. Eles sabiam o que iam construir porque estavam usando um número muito grande de tijolos. Para números muito altos, a confiabilidade geral do sistema é muito boa."

Ver nota 3 no final do Capítulo

"E não há maneira de dizer o que uma partícula está fazendo sem observá-la?", repetiu Alice, só para ter certeza.

"Não, de jeito nenhum. Quando aquilo que você observa pode acontecer de várias maneiras diferentes, você tem uma amplitude para cada maneira possível, e a amplitude geral é obtida adicionando-se todas elas. Você terá então uma *superposição de estados*. De certa forma, a partícula está fazendo tudo que é possível a ela. Não é só que você não *sabe* o que a partícula está fazendo. A interferência mostra que as probabilidades estão todas presentes e influenciam umas as outras.

De certa forma, são todas igualmente reais. Tudo que não é proibido é compulsório."

"Eu vi um cartaz que dizia isso no Banco. Parecia muito sério."

"E é! Essa é uma das regras mais importantes por aqui. Onde várias coisas podem acontecer, elas acontecem. Dê uma olhada no Gato, por exemplo."

"Que gato?", perguntou Alice, olhando em volta, confusa.

"Ora, o Gato de Schrödinger aqui. Ele o deixou conosco para que cuidássemos dele."

Alice olhou para onde o Mecânico apontava e viu um grande gato listrado que dormia numa cesta num dos cantos da sala. Como se despertado por ter ouvido seu nome, o gato se levantou, espreguiçando-se. Ou melhor, levantou-se e não se levantou, espreguiçou-se e não se espreguiçou. Alice viu que, além da figura levemente difusa do gato de costas arqueadas, havia também um gato idêntico, que ainda dormia no fundo da cesta. Ele estava muito rígido, numa posição muito pouco natural. Olhando para ele, Alice poderia jurar que ele estava morto.

"Schrödinger desenvolveu um experimento *gedanken* em que um pobre gato ficava preso numa caixa, junto com um recipiente de gás venenoso e um mecanismo que quebraria o frasco caso uma amostra de um material radioativo viesse sofrer um decaimento. Tal decaimento é definitivamente um processo quântico. O material pode ou não decair e então, de acordo com as regras da física quântica, haveria uma superposição de estados, onde em alguns o decaimento teria ocorrido e em outros, não. É claro que, naqueles estados em que o decaimento ocorresse, o gato morreria, e nós então teríamos uma superposição de estados de gato, alguns mortos e alguns vivos. Quando a caixa fosse aberta, alguém observaria o gato e dali em diante ele estaria morto ou vivo. A questão proposta por Schrödinger era: "Qual o estado do gato antes de a caixa ser aberta?"

"E o que aconteceu quando abriram a caixa?", Alice perguntou.

"Na verdade, todos estavam tão empolgados discutindo a questão que ninguém abriu a caixa, e é por isso que o Gato ficou assim."

Alice olhou para a cesta onde um aspecto do Gato lambia a si mesmo com dedicação. "Ele parece estar bem vivo", ela observou. Mal as palavras tinham saído de sua boca, o Gato ficou bem sólido e palpável e a versão morta desapareceu. Ronronando satisfeito, o Gato pulou para fora da caixa e começou a perseguir um rato que tinha saído da parede. Alice percebeu que não havia um buraco de rato que ela pudesse ver — o rato tinha simplesmente saído direto da parede. O Mecânico Quântico seguiu a direção do olhar de Alice. "Ah, sim. Isto é um exemplo da penetração em barreiras: acontece o tempo todo por aqui. Onde houver uma região que uma partícula não puder adentrar de acordo com as leis da mecânica clássica, a amplitude não necessariamente cessa de imediato na fronteira da região, apesar de diminuir rapidamente dentro dela. Se a região for bem estreita, ainda haverá alguma amplitude sobrando do outro lado, e isso dá margem a uma pequena probabilidade para que a partícula possa aparecer ali, tendo aparentemente atravessado uma barreira aparentemente intransponível, um processo chamado de 'tunelamento'. Acontece com frequência."

Alice estava repassando em sua cabeça as coisas que tinha visto até então e percebeu uma dificuldade. "Como foi que eu consegui observar o Gato e fixar sua condição se ele não pôde fazer isso por si próprio? O que é que decide que uma observação foi mesmo realizada e quem está capacitado para fazê-las?"

"Essa é uma pergunta muito boa", respondeu o Mecânico Quântico, "mas nós somos apenas mecânicos e por isso não nos importamos muito com essas coisas. Apenas fazemos o trabalho e usamos métodos que sabemos que funcionarão na prática. Se quer alguém para discutir *o problema da medida* com você, terá de ir a algum lugar mais acadêmico. Sugiro que assista a uma aula da Escola de Copenhague."

"E o que faço para chegar lá?", Alice perguntou, conformando-se com o fato de ter sido passada adiante para mais outro lugar. Em resposta, o Mecânico a levou pelo corredor e abriu uma porta, que não dava para o beco por onde ela tinha entrado, mas sim para um bosque.

Notas

1. A mecânica quântica é normalmente contrastada com a mecânica clássica ou newtoniana. Esta última, que se ocupa da descrição detalhada de objetos em movimento, foi desenvolvida antes dos primeiros anos do século 20 e se baseia nos trabalhos originais de Galileu, Newton e outros antes e depois deles. A mecânica newtoniana funciona muito bem em grandes escalas. O movimento dos planetas pode ser previsto com muita antecedência e grande precisão. Ela funciona quase igualmente bem para planetas artificiais e missões espaciais de exploração: suas posições podem ser previstas anos antes. Funciona muito bem também para maçãs caindo de árvores.

   No caso de uma maçã que cai, a resistência do ar que a cerca será significante. A mecânica clássica descreve o fato como a colisão de um número enorme de moléculas de ar ricocheteando na maçã. Quando você pergunta sobre as moléculas de ar, respondem-lhe que elas são pequenos grupos de átomos. Quando você pergunta sobre os átomos, faz-se um silêncio constrangedor.

   A mecânica clássica não foi bem-sucedida ao tentar explicar a natureza do mundo em escala atômica. As coisas devem ser diferentes de alguma maneira para objetos pequenos do que parecem ser para objetos grandes. Para usar estes argumentos, você deve perguntar: pequenos ou grandes em relação a quê? Deve haver alguma dimensão, uma constante fundamental que fixe a escala em que este novo comportamento se torna óbvio. É uma mudança definitiva na maneira com que se observa o comportamento das coisas, e ela é universal.

Átomos no sol e em estrelas distantes emitem luz no mesmo espectro que o abajur na sua mesa de cabeceira. A passagem para o comportamento quântico não é algo que acontece apenas localmente; há alguma propriedade fundamental da Natureza envolvida. Esta propriedade é denotada pela constante universal $\hbar$, que aparece na maioria das equações quânticas. O mundo é *granulado* na escala definida por esta constante $\hbar$. Nessa escala, energia e tempo, posição e momentum, apresentam-se borrados entre si. Nem é preciso dizer que, na escala da percepção humana, $\hbar$ é muitíssimo pequena e a maioria dos efeitos quânticos não é absolutamente evidente.

2. O que as relações de incerteza de Heisenberg nos dizem é que vemos as coisas de modo errado. Cremos de antemão que *devemos* ser capazes de medir a posição e o momentum de uma partícula ao mesmo tempo, mas descobrimos que não podemos. A própria natureza das partículas não permite que façamos tais medições sobre elas e a teoria nos diz que estamos fazendo as perguntas erradas, perguntas para as quais não temos respostas viáveis. Niels Bohr usou a palavra *complementaridade* para expressar o fato de que é possível haver conceitos que não podem ser precisamente definidos ao mesmo tempo: pares de conceitos tais como justiça e legalidade, emoção e racionalidade.

   Há algo fundamentalmente errado com a nossa crença de que *deveríamos* ser capazes de falar da posição e do momentum, ou da quantidade exata de energia de uma partícula num instante determinado. Não se sabe bem por que deveria ser significativo falar ao mesmo tempo de duas qualidades tão distintas. Parece que não é tão significativo assim.

3. A mecânica quântica não se refere a partículas definidas no sentido tradicional clássico; em vez disso, trata de *estados* e *amplitudes*. Se você *eleva ao quadrado* uma amplitude (i.e. multiplica por seu próprio valor), você obtém uma distribuição de probabilidades que dá a *probabilidade* de se obter vários resultados ao se fazer uma observação ou medição. O valor real que se obtém com qualquer medição parece ser aleatório e imprevisível. Acaba parecendo que a sugestão feita mais cedo neste livro de que a Natureza é incerta e de que "vale tudo" deve, no final das contas, ser verdade. Não parece?

   Bem... não. Se você faz muitas medições, o resultado *médio* pode ser previsto com precisão. Anotadores de apostas não sabem que cavalo ganhará cada corrida, mas esperam confiantes fazer algum lucro até o final do dia. Não conseguem prever grandes e inesperadas perdas, pois trabalham com números pequenos cuja média não pode ser confiável. O número de apostadores seria de alguns poucos milhares, em vez dos 1.000.000.000.000.000.000.000.000

átomos, ou mais, existentes mesmo em um ínfimo pedaço de matéria. Estes dígitos parecem menos com um número do que com o desenho repetitivo de um papel de parede, mas é inegavelmente grande. As flutuações estatísticas médias esperadas em medições com números de átomos tão extensos são desprezíveis, mesmo que o resultado para átomos individuais possa ser bastante aleatório.

Amplitudes da mecânica quântica podem ser calculadas com bastante precisão e comparadas com experimentos. Um resultado muito citado é o do momento magnético de um elétron. Os elétrons giram como pequenos peões e têm propriedades elétricas: eles se comportam como pequenos ímãs. A força magnética e a rotação do elétron estão relacionadas, e esta razão pode ser calculada com o uso das unidades apropriadas.

Um cálculo clássico chega ao resultado 1 (com suposições arbitrárias sobre a distribuição da carga elétrica de um elétron).

O cálculo clássico chega ao resultado 2.0023193048 (± 8) (o erro está na última casa decimal).

Uma medição chega ao resultado 2.0023193048 (± 4).

É uma ótima concordância! A probabilidade de se conseguir, ao acaso, valores tão concordantes é similar à probabilidade de se jogar um dardo, também ao acaso, e acertar na mosca — quando o alvo está tão longe quanto a Lua. Esse resultado em particular é frequentemente dado como exemplo do sucesso da teoria quântica. É possível calcular, com a mesma precisão, as amplitudes de outros processos, mas são muito poucos os valores que podem ser *medidos* com essa precisão.

A Escola de Copenhague 4

Alice adentrou o bosque e foi seguindo por um caminho que serpenteava por entre as árvores, até chegar a uma bifurcação. Havia uma placa lá, mas não ajudava muito. A seta que apontava para a direita dizia "A" e a que apontava para a esquerda dizia "B", nada mais. "Puxa vida", exclamou Alice, irritada. "Essa é a placa mais inútil que eu já vi." Ela olhou em volta para ver se conseguia alguma pista sobre aonde iam os caminhos, quando se surpreendeu ao ver o Gato de Schrödinger sentado num galho de uma árvore a poucos metros dali.

"Gato", disse ela, timidamente. "Poderia me dizer que caminho devo tomar?"

"Isso depende muito de onde você quer chegar", disse o Gato.

"Não sei bem onde...", ela começou.

"Então, não importa por onde você for", interrompeu o Gato.

"Mas eu preciso decidir entre os dois caminhos", disse Alice.

"Ora, é aí que você se engana", sorriu o Gato. "Você não tem de decidir, você pode tomar todos os caminhos. Com certeza, já sabe disso agora. Eu, particularmente, costumo fazer nove coisas diferentes ao mesmo tempo. Os gatos vasculham qualquer lugar, quando não estão sendo observados. Por falar em observação", ele disse, apressado, "acho que estou prestes a ser obs..." Nessa hora, ele desapareceu de repente.

"Que gato esquisito", pensou Alice, "e que sugestão esquisita. Ele devia estar se referindo à superposição de estados de que falava o Mecânico. Acho que é como da vez em que saí do Banco. De alguma forma, consegui ir em várias direções ao mesmo tempo, então acho que deveria tentar fazer a mesma coisa de novo."

Estado: Alice (A1)

Alice virou à direita, na placa, e continuou pelo caminho sinuoso, olhando para as árvores enquanto caminhava. Não tinha ido muito longe quando chegou a mais uma bifurcação; desta vez a placa tinha duas setas que diziam "1" e "2". Alice virou à direita e continuou.

Enquanto prosseguia, as árvores foram escasseando e ela se viu trilhando um caminho íngreme e pedregoso. A inclinação ia aumentando cada vez mais, até que ela se viu subindo a encosta de uma montanha isolada. A trilha a levou a um caminho estreito, que beirava um precipício, que por sua vez ia até um pequeno gramado. À sua frente, na encosta do precipício, ela viu uma abertura, como uma boca bocejante, e uma passagem, que levava adiante e para baixo.

A passagem era muito escura, mas para sua própria surpresa, ela acabou entrando e descendo. O chão e as paredes eram lisos e iam direto para a frente, num leve declive, na direção de um leve e distante brilho. Enquanto ela caminhava, a luz ia gradualmente ficando mais forte e mais vermelha e o túnel ia ficando cada vez mais quente. Pequenas nuvens de vapor passavam por ela e ela ouviu um som parecido com o de um animal enorme roncando em seu sono.

No final do túnel, Alice avistou um imenso subterrâneo. Só dava para tentar adivinhar a escura vastidão do lugar mas, perto de seus pés, ela viu um grande brilho. Um imenso dragão vermelho e dourado dormia profundamente, com sua longa cauda enrolada em volta dele. Abaixo dele, lhe servindo de cama, havia uma altíssima pilha de ouro e prata, joias e esculturas maravilhosas, tudo banhado pela luz vermelha.

◆❖◆◆❖◆

Estado: Alice (A2)

Alice virou à direita, na placa, e continuou pelo caminho sinuoso, olhando para as árvores enquanto caminhava. Não tinha ido muito longe quando chegou a mais uma bifurcação; desta vez a placa tinha duas setas que diziam "1" e "2". Alice virou à esquerda e continuou.

Enquanto ia caminhando, olhou para o chão e viu que o caminho por onde seguia tinha mudado de uma trilha na floresta para uma estreita rua pavimentada com tijolos amarelos. Ela continuou seguindo por entre as árvores até que o bosque se abriu numa grande clareira gramada. Era muito extensa, desdobrando-se até onde Alice conseguia enxergar, e todo o campo estava coberto de papoulas. A estrada de tijolos amarelos seguia pelo meio da clareira até os portões de uma cidade distante. De onde estava, Alice conseguia ver que as altas muralhas da cidade eram verdes e brilhavam e que os portões eram cravejados de esmeraldas.

Estado: Alice (B1)

Alice virou à esquerda, na placa, e continuou ao longo do caminho sinuoso. Não havia nada de notável para se ver ainda. Ela virou uma esquina e chegou a outra bifurcação; desta vez a placa tinha duas setas que diziam "1" e "2". Alice virou à direita e continuou andando.

A vegetação rasteira ia ficando cada vez mais espessa e era difícil ver qualquer coisa que não estivesse muito próxima, apesar de o caminho, em si, ainda estar bem claro e definido enquanto seguia serpenteando por entre o cerrado arvoredo. Alice virou uma curva e, de repente, chegou a um espaço aberto. No centro da clareira ficava uma pequena construção, com um telhado inclinado e uma pequena torre com um sino numa de suas extremidades. As palavras "Escola de Copenhague" estavam profundamente marcadas numa placa de pedra acima da porta.

"Esse deve ser o lugar para onde disseram que eu deveria ir", Alice disse para si mesma. "Só não sei se quero mesmo ir a uma escola! Já passo tempo bastante na minha! Mas talvez as escolas aqui sejam diferentes daquelas a que estou acostumada. Vou entrar para ver!" Sem bater, ela abriu a porta e entrou.

◆❖◆◆❖◆

Estado: Alice (B2)

Alice virou à esquerda, na placa, e continuou ao longo do caminho sinuoso. Não havia nada de notável para se ver ainda. Ela virou uma esquina e chegou a outra bifurcação; desta vez a placa tinha duas setas que diziam "1" e "2". Alice virou à esquerda e continuou andando.

Um pouco adiante, o caminho começou a se inclinar e Alice começou a subir um morrote. No alto do morro ela parou por alguns minutos e olhou em todas as direções da região — e que região curiosa era essa! Havia muitos riachos

cruzando a região de um lado a outro, e o chão estava dividido em quadrados formados por cercas vivas, que iam de um riacho a outro.

"Puxa vida! O campo está dividido como se fosse um tabuleiro de xadrez", Alice disse ao final.

"Ah, minha cara, entre!" disse uma voz mansa, e Alice percebeu que estava sendo observada. Ela passou pela porta e olhou à sua volta, para a sala de aula. Era uma sala bem grande, com janelas altas por todos os lados. Havia poucas filas de carteiras escolares bem no meio da sala. Em uma das extremidades ficava um quadro-negro e uma grande mesa, atrás da qual estava o Mestre.

"Parece muito uma escola normal", Alice admitiu para si mesma, enquanto se virava para olhar as crianças na sala. Ela viu, porém, que as carteiras não estavam ocupadas por crianças, mas por uma incrível coleção de criaturas amontoadas na frente da sala. Havia uma sereia, com longos cabelos e um rabo de peixe escamoso. Havia um soldado uniformizado que, observado mais de perto, parecia ser de chumbo e uma menininha esfarrapada com uma bandeja cheia de fósforos. Havia também um patinho muito feio e um homem gordo com porte de realeza e que, por algum motivo, estava vestido apenas com a roupa de baixo.

"Será que está mesmo?" Alice pensou. Quando olhou de novo, achou que tivesse visto o homem vestido em ricos trajes bordados e um robe de veludo. Olhando novamente, porém, tudo que conseguia ver era um homem corpulento vestindo apenas suas roupas de baixo.

"Olá, minha cara", disse o Mestre, uma figura paternal com sobrancelhas cheias. "Veio se juntar à nossa discussão?"

"Receio não saber como vim parar aqui", disse Alice. "Eu achava que estava em vários lugares agorinha mesmo, e não tenho a menor ideia de por que vim parar aqui e não nos outros lugares."

"Isso é porque nós observamos você aqui, é claro. Você estava numa superposição de estados quânticos, mas como foi observada estando aqui, é porque era aqui que estava, naturalmente. Obviamente, você não foi observada em nenhum dos outros lugares."

"O que aconteceria se eu tivesse sido observada em algum outro lugar?", Alice perguntou, curiosa.

"Porque, então, o seu conjunto de estados teria se colapsado para esse outro. Você não estaria aqui, mas sim na posição onde tivesse sido observada, é claro."

"Não consigo entender como isso seria possível", respondeu Alice que já estava se sentindo terrivelmente confusa de novo. "Que diferença faz se fui observada ou não? Com certeza, eu estaria em um lugar ou em outro, sem importar quem estivesse me olhando ou não."

"É o que você pensa! Não dá para dizer o que está acontecendo em qualquer sistema se você não o observa. Pode haver uma grande variedade de coisas que poderiam estar acontecendo, e você até pode estabelecer a probabilidade de ocorrência de uma coisa ou de outra, desde que não esteja observando. Na verdade, o sistema estará numa mistura de estados correspondente a todas as coisas que poderiam estar acontecendo. É essa a situação até você olhar para ver o que o sistema está fazendo. A essa altura do processo, uma possibilidade é selecionada e esta será a única ocorrência no sistema."

"E o que acontece com todas as outras coisas que estavam acontecendo nele?" perguntou Alice. "Simplesmente desaparecem?"

"Bem, há mais coisas que ele *pode* fazer do que coisas que ele *estava* fazendo, mas é isso mesmo que acontece", respondeu o Mestre, com um largo sorriso. "Você entendeu perfeitamente. Os outros estados simplesmente se anulam. A *Terra do pode ser* se torna a *Terra do nunca foi.* Nessa hora, todos os outros estados deixam de ser reais, de qualquer modo. Eles se tornam, digamos, apenas sonhos e fantasias, e o estado observado é o único real. Isso é o que chamamos de *redução dos estados quânticos.* Você logo vai se acostumar."

"Quer dizer que quando você olha para alguma coisa, pode escolher o que vai ver?", perguntou Alice, desconfiada.

"Oh, não, você não tem direito de escolher. O que você *provavelmente* verá é determinado pelas probabilidades dos vários estados quânticos. O que você *vê* de verdade é uma questão de puro acaso. Você não escolhe o que vai acontecer; as amplitudes quânticas dão apenas as probabilidades dos diferentes resultados, mas

A visão "ortodoxa" da mecânica quântica é a *Interpretação de Copenhague* (nomeada segundo Niels Bohr, o físico dinamarquês, e não Hans Christian Andersen). Onde for possível que coisas diferentes aconteçam em um sistema físico, haverá uma *amplitude* para cada uma delas, e o estado total do sistema é dado pela soma, ou superposição, de todas essas amplitudes.

Quando uma observação é realizada, chega-se a um valor que corresponde a uma dessas amplitudes, e as amplitudes excluídas desaparecerão em um processo chamado de *redução das amplitudes.*

não estabelecem o que vai acontecer. Isso é puro acaso, e só se torna fixado quando uma observação é feita." O Mestre disso isso muito francamente, mas tão baixinho que Alice teve de se esforçar para entender suas palavras.

"Fazer observações é muito importante, então", pensou Alice consigo mesma. "Mas quem é que pode fazer as observações? É óbvio que os elétrons não podem observar a si mesmos passando pelas fendas num experimento de interferência, já que parecem passar pelas duas fendas ao mesmo tempo. Ou será que eu deveria dizer 'quando as amplitudes para as duas fendas estão presentes'?" ela se corrigiu, imitando a maneira de falar que tanto tinha ouvido nesse lugar. "Parece que eu não me observei corretamente quando estava numa superposição de estados, agora há pouco.

"Na verdade", disse ela de repente, surpreendida por um pensamento, "se a mecânica quântica diz que você deve fazer tudo aquilo que pode, então com certeza você deverá observar *todos* os possíveis resultados de qualquer medida que fizer. Se o seu princípio de superposição quântica funciona em toda parte, não é possível fazer medida nenhuma! Qualquer coisa que você tentasse medir teria vários resultados possíveis. Seria possível observar *qualquer* resultado e, de acordo com as suas normas, se você pode observar qualquer um deles, terá de observar a *todos*. Os resultados da sua medição estariam todos presentes numa nova versão desta superposição de estados de que você fala. Você nunca poderia observar alguma coisa de verdade ou nunca poderia haver alguma coisa que você pudesse deixar de observar."

Alice parou para respirar, depois de se deixar levar por seu novo pensamento. Ela notou que todos na sala olhavam seriamente para ela. Quando ela parou de falar, todos se agitaram, meio impacientes.

"Você está falando algo muito importante, é claro", disse o Mestre docemente. "É conhecido como *problema da medida* e é exatamente o assunto que estávamos discutindo aqui."

Ver nota 1 no final do Capítulo

O Mestre continuou: "É importante lembrar que esse é um problema real. Deve haver uma mistura de amplitudes como as que ocorrem em sistemas de um ou dois elétrons, como na experiência das duas fendas que você viu, pois as amplitudes interferem umas com as outras. Não é só uma maneira de dizer que um elétron pode estar em um estado, mas que você não *sabe* que estado é esse. Essa situação não poderia produzir interferências. Somos então forçados a aceitar que, em um certo sentido, cada elétron está em *todos* os estados. Acho que não é uma pergunta adequada querer saber o que o elétron está fazendo de verdade porque não há meios de descobrir isso. Se tentar checar, você altera o sistema e acaba examinando algo diferente.

"Como você disse, parece que temos um problema aqui. Átomos e sistemas que contêm um pequeno número de partículas sempre fazem tudo aquilo que lhes é possível fazer, sem nunca tomar decisões. Nós, por outro lado, sempre fazemos uma coisa ou outra e nunca observamos mais do que um resultado de cada situação específica. Meus alunos prepararam uma pequena explanação sobre o problema da medida. Eles examinam em que ponto, se é que há algum, para de funcionar o comportamento quântico que permite a presença de todos os estados ao mesmo tempo, para que observações únicas possam ser feitas. Talvez você queira sentar e assistir às apresentações." Alice não podia dispensar essa ótima oportunidade. Sentou-se em uma das carteiras e ficou esperando com ansiedade.

"O primeiro a falar", anunciou o Mestre, sua voz calma apaziguando o ruído de expectativa dos alunos, "será o Imperador." O corpulento cavalheiro, metido em roupas de baixo de cor púrpura de muito bom gosto e o primeiro a ser notado por Alice ao entrar na sala, levantou-se e foi até a frente da sala.
Ver nota 2 no final do Capítulo

A Teoria do Imperador (A Mente sobre a Matéria)

"A nossa hipótese", começou ele, espalhando um sorriso esnobe pela sala, "é que tudo está na mente.

"As leis que regem os sistemas quânticos", ele continuou, "o uso das amplitudes para descrever os estados físicos e a superposição dessas amplitudes quando houver mais de uma condição possível — estas leis se aplicam a todas as coisas materiais do mundo. Dizemos 'todas as coisas materiais'" ele repetiu, "pois Nossa hipótese é que tal superposição não é experimentada por nossa mente consciente. O mundo físico é governado em todos os níveis pelo comportamento quântico e qualquer sistema puramente material, grande ou pequeno, será sempre uma combinação de estados, com uma amplitude presente para tudo que se pode ou que poderia ter sido. Só quando a situação chega à atenção da vontade soberana de uma mente consciente é que uma escolha é feita.

"Pois a mente é uma coisa externa ou, em Nosso caso já citado, está fora das leis do mundo quântico. Não estamos atados à necessidade de fazer tudo que poderia ser feito; ao invés disso, estamos livres para optar. Quando Nós observamos algo, esta coisa é observada; ela sabe que Nós a observamos, o Universo sabe que Nós a observamos e ela permanece, daí em diante, na condição de ter sido observada por Nós. É o Nosso ato de observação que impõe uma forma única e

definida ao mundo. Podemos não ter a escolha sobre aquilo que vamos observar, mas o que quer que observemos se torna unicamente real nesse momento."

Ele parou e lançou olhares mandões para todos na sala. Alice ficou estranhamente impressionada com seu discurso confiante, apesar da roupa de baixo de cor púrpura. "Por exemplo, quando olhamos para Nossos novos e magníficos trajes imperiais, percebemos que estamos, é claro, esplendorosamente ornados." Ele olhou para si próprio e subitamente estava vestido dos pés à cabeça em vestes riquíssimas. Sua capa e seu colete eram enfeitados com lindas rendas e seu leve robe de veludo tinha bordas de pele de arminho. "É possível que, quando Nossa atenção for desviada de Nossos trajes, eles estejam menos reais e palpáveis do que parecem estar agora quando todos observaram que eles são feitos do melhor tecido, como são, de verdade."

O Imperador levantou a cabeça e olhou para os colegas. Alice estranhou que, apesar de sua observação ter estabelecido o rico aspecto de suas roupas, assim que ele desviou o olhar, elas imediatamente ficaram transparentes, mostrando a roupa de baixo que ostentava um bonito monograma.

"É esta, pois, a Nossa tese. Todo o mundo material é de fato governado pelas leis da mecânica quântica, mas a mente humana está fora do mundo material e por isso não se restringe a essas leis. Temos a habilidade de ver as coisas como só nós podemos. Não podemos escolher o que veremos, mas aquilo que vemos se torna realidade no mundo, ao menos enquanto estamos observando. Quando terminamos Nossa observação, o mundo pode novamente adentrar em sua condição costumeira de estados misturados."

Ele parou e olhou em volta com um ar satisfeito. "Obrigado por seu trabalho. É muito interessante", disse o Mestre. "Alguém tem alguma pergunta?"

Alice descobriu que tinha, sim. Talvez a atmosfera da escola a estivesse afetando, afinal. Ela levantou a mão. "Sim?", o Mestre perguntou, apontando para ela. "Qual é a pergunta que gostaria de fazer?"

"Há uma coisa que não entendi", ela disse. (Essa não era toda a verdade, pois havia muitas coisas que ela não entendia e essa quantidade ia aumentando a uma taxa alarmante. Mas havia uma coisa em particular sobre a qual ela queria perguntar.) "Você diz que o mundo está normalmente nessa estranha mistura de diferentes estados, mas que ele se reduz a uma única condição quando você, como uma mente consciente, o observa. Suponho que qualquer um possa fazer algo se tornar real desta forma. O que, então, ocorre com a mente de *outras* pessoas?"

"Nós achamos que nós não entendemos o que você quer dizer", respondeu o Imperador, ameaçador, mas nessa hora o Mestre interrompeu.

"Talvez eu possa elaborar um pouco em cima da pergunta da mocinha. Falávamos mais cedo dos elétrons que atravessam duas fendas. Suponha que eu pudesse tirar uma fotografia de um elétron passando por uma fenda ou por outra. De acordo com o que você disse, assim como a fotografia poderia mostrar o elétron em qualquer das duas fendas, teria de mostrar também que estava em ambas. O filme da máquina não tem uma mente consciente e seria incapaz de reduzir a função de onda; por isso, ele deveria registrar uma superposição das duas diferentes imagens. Suponha agora que eu fizesse uma série de cópias dessa fotografia sem, é claro, olhar para elas. Você diria que cada uma dessas cópias traria agora também uma mistura de diferentes imagens, cada uma correspondendo às diferentes fendas por onde os elétrons poderiam ter passado?"

"Sim", respondeu o Imperador com todo cuidado. "Acreditamos que esse seria o caso."

"Se assim fosse, vamos supor que enviássemos as cópias para diferentes pessoas. A primeira a abrir o envelope e olhar para a foto faria com que uma das imagens se tornasse a verdadeira, causando o sumiço das outras?" Novamente, o Imperador concordou, cauteloso. "Mas, nesse caso, as fotografias que as outras pessoas receberam teriam de se reduzir à mesma imagem, mesmo estando em outras cidades, a quilômetros de distância. Sabemos por experiência que as cópias de uma foto têm de mostrar a mesma imagem que o original. Sendo assim, quando a primeira pessoa olhasse para uma das cópias da foto, ela faria com que uma possibilidade se tornasse a única real e, por conseguinte, este ato presumivelmente afetaria todas as outras cópias, que teriam de concordar com a primeira. Então, uma pessoa que olhasse para a foto em uma cidade faria com que todas as outras cópias em várias e diferentes cidades do mundo mudassem de repente para mostrarem todas a mesma coisa. Acabaria como um tipo esquisito de corrida, com a primeira pessoa a abrir o envelope fixando as imagens das outras cópias antes que os envelopes fossem abertos. Acho que foi isso que a mocinha quis dizer", concluiu.

"Naturalmente, tal consideração não apresentaria problema nenhum em Nosso caso", respondeu o Imperador, "já que ninguém se atreveria a olhar tal fotografia antes que Nós a examinássemos. Contudo, concordamos que uma situação assim deve surgir em meio a pessoas de ordens inferiores. Nesse caso, a situação seria essa que acabou de descrever."

Alice ficou tão impressionada ao ver esse argumento aparentemente ridículo ser aceito, que nem percebeu o Imperador voltando para seu assento e a pequena sereia indo para a frente da sala. A sereia estava meio desequilibrada, pois não tinha pés. Por isso, sentou na mesa do Mestre e ficou balançando sua cauda. A atenção de Alice voltou à aula quando a sereia começou a falar.

A Teoria da Pequena Sereia (Muitos Universos)

"Como sabem", começou ela numa voz líquida e musical, "sou uma criatura de dois mundos. Moro no mar e fico igualmente à vontade em terra firme. Mas isso não é nada em comparação ao número de mundos que todos nós habitamos, pois somos cidadãos de muitos mundos — muitos, muitos mundos.

"O expositor que me antecedeu nos disse que as regras quânticas se aplicam a todo o mundo, com exceção das mentes das pessoas que nele habitam. Eu lhes digo que elas se aplicam ao mundo todo, a todas as coisas. Não há limite para a ideia de superposição de estados. Quando um observador olha para uma superposição de estados quânticos, espera-se que ele ou ela veja todos os efeitos pertinentes àquela seleção de estados. É isso que acontece; um observador vê todos os resultados, ou melhor, o próprio observador também está numa superposição de diferentes estados e cada estado do observador vê o efeito correspondente àquele estado na mistura original. Cada estado é simplesmente expandido para incluir o observador no ato de ver aquele estado particular.

"Não é assim que *parece* para nós, mas isso é porque os diferentes estados de um observador não sabem da existência uns dos outros. Quando um elétron atravessa uma barreira onde há duas fendas, ele pode passar tanto pela da direita quanto

pela da esquerda. Aquilo que o observador consegue ver é puro acaso. Você poderia ver que o elétron foi pela esquerda, mas haverá um outro *você* que terá visto o elétron ir pela direita. Na hora em que você observa um elétron, você se divide em duas versões de si próprio, uma para ver cada resultado possível. Se essas duas versões nunca mais se reunirem, cada uma delas continuará ignorando a existência da outra. O mundo se divide em dois, com duas versões levemente diferentes de você. É claro que, quando essas duas versões suas começarem a falar com outras pessoas, será preciso ter diferentes versões dessas pessoas também. O que acontece então é a divisão de todo o universo. Neste caso, ele se dividiria em dois, mas para observações mais complexas ele se dividiria em um número maior de versões."

"Mas com certeza isso aconteceria com muita frequência", Alice não conseguiu evitar e interrompeu o fluxo da explicação da sereia.

"Acontece sempre", respondeu a sereia calmamente. "Sempre que houver uma situação onde uma medida possa oferecer diferentes resultados, todos os resultados possíveis *serão* observados e o universo se dividirá no número correspondente de versões.

"Normalmente, os mundos divididos permanecem separados e se distanciam sem nunca se darem conta da existência um do outro, mas por vezes eles se unem novamente e apresentam efeitos de interferência. É a presença destes efeitos de interferência entre os diferentes estados que demonstra que eles podem e existem todos juntos."

A sereia terminou sua explanação e ficou lá sentada, penteando os infinitos fios de seu longo cabelo que caíam lado a lado, mas separadamente, ao longo de seus ombros.

"Isso implica numa quantidade imensa de universos. Teria de haver tantos universos quanto há grãos de areia nas praias da Terra", Alice protestou.

"Oh, não. Teria de haver bem mais do que isso. Muito mais!" respondeu a sereia, encerrando o assunto. "Muito, muito mais", continuou, sonhadora. "Muito, muito, muito..."

"Esta teoria", o Mestre interrompeu, "tem a vantagem de ser bastante econômica em relação a afirmações, mas o mesmo não acontece com os universos!" Ele chamou o próximo a apresentar sua teoria. Era o Patinho Feio, que tinha de ficar de pé em cima da mesa do Mestre para ser visto mais claramente.

A Teoria do Patinho Feio (É Tudo Muito Complicado)

O Patinho começou sua explicação e Alice percebeu que, além de ser muito feio, ele parecia estar muito irritado também. Sua fala era tão cheia de quacks e chiados que ficava difícil entender o que ele dizia. Pelo pouco que Alice entendeu, ela pôde perceber que ele falava que a superposição de estados só funcionava para sistemas bem pequenos, com poucos elétrons e átomos. Ele dizia que só era preciso argumentar que os sistemas estavam frequentemente em mistura de estados por causa da ocorrência da interferência, já que um estado solitário e único não teria nada com que interferir.

Ele ainda disse que não sabemos de verdade se a interferência ocorre com objetos que contém muitas partículas. Sabe-se que a interferência e consequentemente a superposição de estados existem para grupos com poucas partículas, e por isso supõe-se que o mesmo se aplique a coisas complicadas, como patinhos. Ele não acreditava nisso por nada nesse mundo.

Um patinho contém um monte de átomos de pato, ele prosseguiu, e antes que quaisquer estados superpostos pudessem interferir, todos os átomos em cada estado separado deveriam se combinar exatamente com o átomo apropriado em outros estados. São tantos átomos que isso não seria possível. Em média, os efeitos

se anulariam e não se veria nenhum resultado conjunto. Como então, ele perguntou, pode-se ter certeza de que os patinhos estão sempre em uma superposição de estados? Responda-me se é tão esperto assim. Toda essa superposição de estados funciona bem para algumas poucas partículas de cada vez, mas para bem antes de chegar a um patinho.

Ele continuou dizendo que sabia muito bem quando via algo e quando não via. Ele sabia que não estava em superposição de estados nenhuma e que era um só, para azar seu. Quando ele mudava, continuou, decidido, mudava mesmo de um estado determinado para outro. A mudança era irreversível e não há como voltar atrás e recombinar com outros estados. Nada haveria de interferir com ele, concluiu. A essa altura, seu grasnar estava tão exaltado que Alice não conseguiu acompanhá-lo. Ela nem estranhou quando ele ficou tão zangado que caiu da mesa, para fora de seu campo de visão.

Houve então uma pausa e um momento de silêncio, que foi interrompido quando um longo e gracioso pescoço apareceu por detrás da mesa, seguido por um corpo emplumado, branco como a neve. Era um cisne.

"Que lindo!", exclamou Alice. "Posso acariciar você?"

O cisne chiou furioso e bateu as asas de maneira assustadora. Alice percebeu que, apesar de sua mudança ser certamente irreversível, seu temperamento não parecia ter mudado muito.

Nesse momento houve um tumulto no fundo da sala e Alice ouviu uma voz gritando "Parem com essa farsa! Vocês estão todos errados!" Ela olhou na direção do som e viu uma figura alta e furiosa, de pé no espaço entre as mesas. Era o Mecânico Clássico. Seu andar estava seriamente comprometido pois ele carregava uma máquina de pinball, parecida com as que Alice tinha visto em um café. (Elas são encontradas com mais frequência em bares, mas Alice era muito jovem para tê-las visto em lugares assim.)

A Teoria do Mecânico Clássico (Rodas Dentro de Rodas)

O Mecânico Clássico foi até a frente da sala e pôs sua máquina junto à escrivaninha do Mestre. Ela tinha a forma de uma mesa inclinada em que se via escrito "Interceptor de elétrons". Na parte mais alta, havia duas aberturas através das quais as partículas eram disparadas e, embaixo, estava disposta uma fileira de caçapas marcadas alternadamente com "ganha" e "não ganha". A superfície da mesa, apesar de pintada com cores fortes, estranhamente não tinha os vários obstáculos e arremessadores que Alice tinha visto em máquinas de pinball.

"Vocês só estão enganando a si mesmos", anunciou o Mecânico Clássico com firmeza. "Examinei com atenção este aparelho, que é basicamente um aparato normal de interferência de elétrons com duas fendas, e creio saber o que está acontecendo de verdade."

Alice percebeu que, apesar de toda a decoração chamativa, o aparelho não era mais do que uma versão menor do experimento mostrado a ela na sala *gedanken* do Mecânico. O Mecânico Clássico logo demonstrou seu funcionamento, disparando um fluxo de elétrons pelas duas fendas. Pelo menos Alice presumiu que eles devem ter vindo, apesar de não conseguir ver através das fendas já que elas eram as únicas presentes, onde os elétrons estavam realmente até que sua chegada fosse marcada nas caçapas na parte mais baixa da máquina. Como ela esperava, os elétrons se agruparam em pilhas separadas por intervalos, onde muito poucos elétrons eram encontrados. Alice estava intrigada de ver que esses intervalos no padrão de interferência coincidiam bastante com as caçapas dizendo "ganha".

"Vendo que a interferência se produz, você argumentaria que isto demonstra que os elétrons passaram, de alguma forma, por ambas as fendas, pois a combinação das amplitudes de cada uma delas produz o padrão de interferência que estamos vendo. Eu digo a vocês que os elétrons, na verdade, passam individualmente por apenas uma fenda, de maneira perfeitamente sensata. A interferência se deve a *variáveis ocultas*!"

Alice achou difícil acompanhar o que exatamente acontecia nesse ponto. O máximo que ela guardou desse momento foi que o Mecânico puxou da mesa algo que parecia uma coberta de pano e que não estava lá antes. Não importa como aconteceu, e sim que agora a superfície da mesa estava coberta com um padrão de profundas protuberâncias e canais levando às duas fendas. "Observem! Variáveis ocultas!", exclamou o Mecânico.

"Não estão tão ocultas assim", apontou Alice, olhando descrente para a estranha superfície que agora se revelava.

"Minha ideia", começou o Mecânico Clássico, claramente ignorando a observação de Alice, é que elétrons e outras partículas se comportam de maneira perfeitamente racional e clássica, assim como as partículas a que estamos acostumados no Mundo Clássico. A única diferença é que, assim como forças normais atuam sobre as partículas, elas também são afetadas por uma *força quântica* especial, ou *onda piloto*. É ela que causa os estranhos efeitos que interpretamos como provenientes da interferência. Em minha demonstração com o pinball de elétrons, cada elétron realmente entra por uma ou por outra fenda, avançando por sobre a mesa de maneira bem normal e previsível. Qualquer aleatoriedade no conjunto se origina das diferentes direções e velocidades iniciais que os elétrons venham a ter inicialmente. Quando os elétrons cruzam essas calhas que você vê aqui no potencial quântico, eles são defletidos pela força quântica, assim como uma roda de bicicleta presa a um trilho de trem, e é por isso que a maioria dos elétrons acaba se agrupando. É isso que produz os assim chamados efeitos de interferência."

"Bem", disse o Mestre, "esta é com certeza uma teoria muito interessante — muito, muito interessante mesmo. Contudo, se não se importa que eu diga, parece que você removeu as dificuldades que tinha com o comportamento dos elétrons às custas de um comportamento bem estranho para o seu *potencial quântico.*

"Porque sua força quântica tem de produzir os efeitos que atribuímos à interferência, ela precisa ser influenciada por coisas que ocorrem em lugares bem diferentes. Se uma terceira fenda fosse feita em sua mesa, as forças quânticas sobre as partículas se alterariam, mesmo se nenhuma das partículas passasse por ela. Tem de ser assim, pois a interferência para três buracos é diferente daquela para dois, e sua força quântica precisa reproduzir todos aqueles efeitos de interferência que nós sabemos que ocorrem. Além disso, seu potencial quântico, ou rede de forças quânticas, precisa ser muito complicado. Na sua teoria, não há nada parecido com a redução das funções de onda que ocorre na teoria quântica normal, então seu potencial deve ser influenciado por todas as possibilidades de todas as coisas que poderiam ter acontecido — em qualquer ocasião. É como a teoria dos Muitos Universos, nesse sentido. Na sua teoria, você diz que o que se observa depende da trajetória que as partículas venham a ter quando forem afetadas por sua onda piloto, e que a própria onda piloto reterá a informação de todas as coisas que poderiam ter acontecido e não há possibilidade de evitar isso. A sua onda teria de ser incrivelmente complexa como a soma de *todos* os universos na teoria dos Muitos Universos, mesmo que isso não afete as partículas na maior parte do tempo.

"A onda piloto na sua teoria influencia o comportamento das partículas, mas a maneira com que as partículas se movem individualmente não tem efeito sobre a onda. Isso depende apenas do que as partículas *poderiam* ter feito. Não há simetria de ação e reação entre as partículas e a onda piloto. Como um Mecânico Clássico, isso deve ser um aborrecimento para você. Você não gostaria de contrariar a Lei de Newton que diz que ação e reação são sempre iguais, gostaria?"

Nesse momento o Mecânico Quântico, que havia seguido o Mecânico Clássico para dentro da sala de aula mas sem dizer nada, foi para a frente da sala e pegou o companheiro pelo braço. "Venha comigo", disse. "Com certeza você não quer ser acusado de Heresia Clássica por contrariar as Leis de Newton. Toda essa discussão acadêmica sobre o que os elétrons fazem ou deixam de fazer não é para tipos como nós. Nós somos Mecânicos. Como Mecânico, minha preocupação principal é que as Leis Quânticas funcionam e funcionam bem. Quando calculo a amplitude de algum processo, ela me diz o que é provável que aconteça.

Existem várias "respostas" para o problema da medida, mas nenhuma delas é universalmente aceita.

Na prática, a mecânica quântica é normalmente usada para se chegar às amplitudes e daí às várias probabilidades para um sistema físico. Então, essas probabilidades são usadas na previsão do comportamento de grandes *conjuntos* de sistemas atômicos, sem muita preocupação em relação ao que aconteceria com um só sistema. Os resultados para os conjuntos podem ser comparados com as medidas, novamente sem muita preocupação com a maneira com que essas mensurações foram feitas.

A resposta prática para esse problema é "feche os olhos e calcule". A interpretação da mecânica quântica pode ser difícil, mas não há como negar que ela funciona bem.

Ela me dá a probabilidade dos diferentes resultados e o faz com precisão e confiavelmente. Não é meu trabalho ficar me preocupando com o que os elétrons estão fazendo quando eu não estou olhando para eles, desde que eu saiba o que estão fazendo quando eu observá-los. É para isso que me pagam."

Ele levou seu colega em silêncio para um canto, virou para Alice e perguntou, "Já aprendeu tudo o que queria saber sobre observadores e medidas?"

"Bem", ela começou, "para dizer a verdade, estou mais confusa do que quando cheguei aqui."

"Certo", interrompeu de repente o Mecânico Quântico. "Já imaginava. Você já aprendeu o que queria. Venha comigo e veja alguns dos *resultados* da teoria quântica. Deixe-me mostrar-lhe algumas das atrações do País do Quantum."

Notas

1. O "problema da medida" é que a seleção de uma única possibilidade e a redução de todas as outras amplitudes é bastante distinta de outros comportamentos quânticos e que a forma como pode ocorrer não é óbvia. O problema está contido, em sua forma mais simples, na pergunta: "como é possível medir *qualquer coisa*?". A visão convencional da mecânica quântica é que, quando houver várias possibilidades, haverá uma amplitude para cada uma delas e a amplitude total do sistema é obtida através da soma, ou superposição, de todas

elas. Por exemplo, se houver várias fendas por onde uma partícula pode passar, a amplitude geral do sistema contém uma amplitude para cada abertura, podendo haver interferência entre as amplitudes individuais. Não havendo influências externas, as amplitudes se alterarão de maneira suave e previsível. Quando você faz uma medida em um sistema cuja soma de amplitudes corresponde a diferentes valores possíveis da quantidade medida, a teoria diz que você observará, com alguma probabilidade, um ou outro desses valores. Imediatamente após a medida, o valor é uma quantidade conhecida (pois você acabou de medi-la) e aí a soma dos autoestados (ver box na página 85) se reduz a um só, o único para o valor real medido por você.

2. A descrição ortodoxa da medida na mecânica quântica tem a desvantagem de que o processo de medição não parece ser compatível em absoluto com o resto da teoria quântica. Se a teoria quântica é a verdadeira teoria atômica, como parece ser, e se o mundo inteiro é feito de átomos, então presumivelmente a teoria quântica deveria se aplicar a todo o mundo e a todas as coisas contidas nele. Isso inclui os instrumentos de medida. Quando um sistema quântico pode resultar em vários valores, sua amplitude é a soma dos estados correspondentes a cada valor possível. Quando o instrumento de medida é ele próprio um sistema quântico e há vários valores que *poderia* medir, ele não tem o direito de selecionar apenas um deles. Ele deveria estar num estado que fosse a soma das amplitudes de todos os possíveis resultados que ele *pudesse* medir e nenhuma observação única poderia ser feita.

A conclusão que se pode tirar disso é que:

a) Nunca observamos nada de verdade

ou

b) A teoria quântica é um monte de besteiras.

Nenhuma das duas conclusões é sustentável (por mais tentadora que a opção (b) possa parecer). *Sabemos* muito bem que nós observamos as coisas, mas não podemos negar que a teoria quântica tem sido insuperavelmente bem-sucedida ao descrever todas as observações, enquanto nenhuma outra teoria alternativa o faz tão bem. Não podemos abandoná-la levianamente.

A Academia Fermi-Bose 5

Alice acompanhou o Mecânico Quântico ao longo do caminho que se afastava da escola. Enquanto progrediam, o caminho ia se alargando até gradualmente se transformar numa estrada plana.

"Acho que a coisa mais curiosa que você me mostrou até agora", observou Alice, "foi a maneira como obteve aqueles efeitos de interferência mesmo quando havia somente um elétron presente. É verdade então que não faz diferença se temos apenas um elétron ou muitos?"

"É verdade que você pode observar a interferência tendo vários elétrons ou apenas um. Mas isso não quer dizer que não faça diferença. Alguns efeitos só são vistos quando se tem muitos elétrons. Veja o Princípio de Pauli, por exemplo..."

"Já ouvi falar dele", interrompeu Alice. "Os elétrons falaram dele assim que cheguei aqui. Pode me dizer o que é, por favor?"

"É uma lei que se aplica quando se tem um monte de partículas iguais — completamente idênticas em todos os aspectos. Se quiser saber mais sobre isso, é melhor que pergunte por aqui, já que estamos por perto. Eles são especialistas no comportamento de muitas partículas juntas."

As palavras do Mecânico fizeram Alice olhar em volta e perceber que, enquanto andavam, tinham chegado a uma alta parede de pedra que acompanhava um dos lados da estrada. Bem à frente deles estava um largo portão. As portas eram feitas de ferro retorcido e se abriam entre duas enormes colunas de pedra, cada uma com um brasão pintado no centro. À direita dos portões, acima da parede, Alice podia ver um painel de madeira onde se lia:

Academia Fermi-Bose
Para elétrons e fótons

No centro do portão estava uma figura imponente, um homem largo e muito corpulento que parecia ainda mais pesado e enorme com a beca acadêmica e o chapéu de bacharel que usava. Seu rosto redondo e corado era enfeitado por um

bigode volumoso e costeletas. Firmemente preso a um de seus olhos, havia um monóculo, de onde pendia uma longa fita preta.

"Este é o Diretor Principal", sussurrou o Mecânico na orelha de Alice, que estava mais próxima dele.

"Quer dizer o Princípio de Pauli?", perguntou Alice empolgada. Ela tinha sido pega de surpresa por sua súbita aparição.

"Não, não", chiou o Mecânico, "ele é o Diretor Principal da Academia. Apesar de o Princípio de Pauli ser o principal princípio da Academia, ele é o Diretor." Alice desejou não ter perguntado.

Eles atravessaram a rua em direção ao imponente personagem.

"Com licença, senhor", começou o Mecânico. "O senhor, por delicadeza, não poderia dizer alguma coisa sobre os sistemas com muitas partículas para a minha amiga aqui?"

"Claro, claro", disse o Diretor com uma voz poderosa. "Nunca há falta de partículas por aqui, oh não. Terei muito prazer em mostrar-lhe a Academia."

Ele se virou, fazendo sua beca ondular, e foi mostrando o caminho até a Academia. Enquanto andavam, Alice viu umas figurinhas entrando e saindo dos arbustos. Em certo momento, uma das figuras pôs a cabeça acima de um arbusto e fez uma careta para eles. Ou pelo menos, assim pareceu para Alice. Como sempre, era muito difícil perceber qualquer detalhe. "Ignore-o", rugiu o Diretor. "Este é apenas um elétron colegial, o Elétron Menor."

Eles chegaram à porta da Academia, que se localizava em uma velha e digna casa que parecia um pouco com uma mansão da dinastia Tudor. Sem uma pausa, o Diretor os levou através da porta principal para dentro de um hall com o teto em arco e, depois, os conduziu para cima, por uma escada larga. Enquanto andavam pelo prédio, Alice viu as pequenas figuras se escondendo atrás dos corrimões, entrando e saindo dos quartos e disparando por corredores laterais quando eles se aproximavam. "Ignore-o," comandou novamente o Diretor. "É o Elétron Menor. Partículas serão sempre partículas!"

"Mas não pode ser o Elétron Menor, se eu acabei de vê-lo no caminho", protestou Alice. "Com certeza, não pode ser a mesma partícula nos dois lugares ao mesmo tempo. Isso é como o experimento em que um elétron consegue passar pelas duas fendas?", ela perguntou ao Mecânico Quântico.

"Não, não é isso. Eles têm muitos elétrons por aqui. Não percebeu? Os elétrons são todos exatamente iguais. Eles são completamente idênticos uns aos outros. Não há como diferenciá-los, por isso *todos* são, naturalmente, Elétron Menor."

"Está certo", confirmou com decisão o Diretor enquanto os levava ao seu escritório, "e isso é um problema, eu diria. Vocês devem imaginar como é difícil para um professor ter dois alunos gêmeos na escola e não saber diferenciá-los. Bem, aqui há centenas de partículas totalmente idênticas. Isso faz da chamada um inferno!

"Os elétrons não são tão maus", ele prosseguiu. "Nós apenas os contamos e vemos se o total está correto. Pelo menos o *número* dos elétrons permanece o mesmo, então sabemos quantos deveríamos ter, mas, com os fótons, nem mesmo isso funciona. Fótons são bósons, e por isso não se conservam. Você pode começar uma aula com, digamos, trinta, e acabar a aula com cinquenta. Ou o número pode cair para menos de vinte — é difícil adivinhar. Isso dificulta muito a vida dos empregados da escola."

Alice notou uma palavra desconhecida nessa observação. "Será que podia me explicar isso?", ela disse, esperançosa. "Poderia me dizer o que é um bóson?"

O Diretor ficou ainda mais vermelho do que estava antes de falar com o Mecânico. "Acho que é melhor levá-la à aula de Fatos da Simetria para iniciantes. O que acha? Isso lhe explicaria tudo sobre Bósons e Férmions."

"Certíssimo", respondeu o Mecânico. "Venha, Alice. Acho que me lembro do caminho."

Andaram por um corredor até chegar a uma sala bem na hora em que a aula estava começando.

"Atenção, por favor", disse o professor. "Como sabem, todos vocês, elétrons, são idênticos uns aos outros, assim como todos vocês, os fótons. Isto quer dizer que não há como saber quando dois de vocês mudaram de lugar. Para um observador, vocês *poderiam* ter mudado de lugar e, é claro, mudaram, até certo ponto. Todos vocês sabem que têm, associada a vocês, uma função de onda, ou amplitude, e que esta amplitude é uma superposição de todas as coisas que vocês *poderiam* estar fazendo. Onde não pudermos dizer o que estão fazendo, vocês estarão fazendo todas as coisas, ou, de qualquer forma, vocês têm uma amplitude para cada uma dessas coisas. Vejam então que para qualquer grupo de vocês é impossível dizer quando dois de vocês mudaram de lugar, e isso significa que a função de onda total será uma superposição de todas as amplitudes para as quais um par diferente tenha sido trocado. Espero que vocês todos tenham anotado isso."

Ver nota 1 no final do Capítulo

"A probabilidade de se fazer uma observação é dada pelo *quadrado* da sua função de onda, isto é, o valor da função multiplicado por si mesmo. Como vocês são todos idênticos, é óbvio que quando dois de vocês trocam de lugar, a diferença não é observável e por isso o quadrado da sua função de onda não se altera. Pode até parecer que não houve alteração alguma. Alguém sabe me dizer o que pode se alterar?"

Um dos elétrons levantou a mão, ou pelo menos Alice deduziu que foi isso que aconteceu. Não era possível ver com muita clareza. "O sinal muda, professor."

"Muito bem, é uma resposta excelente. Eu faria uma observação na sua ficha, dizendo que foi uma ótima resposta mas, infelizmente, não consigo diferenciá-lo dos outros. Sim, como sabem, as amplitudes não têm de ser positivas. Podem ser positivas ou negativas, tanto que duas amplitudes podem se cancelar mutuamente quando houver interferência. Isto significa que há dois casos em que o quadrado de suas amplitudes não muda. Pode ser que a amplitude não se altere quando dois de vocês mudam de lugar. Neste caso, as partículas são bósons, como vocês, os fótons. Contudo, há ainda outra possibilidade. Quando dois de vocês trocam de lugar, a amplitude pode se *inverter*. Muda de positiva para negativa e vice-versa. Neste caso, o quadrado permanece positivo e a distribuição de probabilidades fica inalterada, pois multiplicar a amplitude por si mesma leva *duas* inversões, o que resulta em nenhuma mudança. É isso que acontece com férmions como vocês, elétrons. Todas as partículas estão em uma ou outra dessas classificações: ou são fermions ou são bósons.

"Vocês podem pensar que não importa muito se sua amplitude se inverte ou não, especialmente porque a distribuição de probabilidades permanece a mesma mas, na verdade, é muito importante, especialmente para os férmions. A questão é que se dois de vocês estiverem no mesmo estado — quer dizer, no mesmo lugar e fazendo a mesma coisa — e se mudam de lugar, não é apenas uma mudança inobservável. Na verdade, *não há mudança alguma*. Neste caso, nem a distribuição de probabilidades *nem* a amplitude podem se alterar. Isso não é problema para os bósons mas, para os férmions, que sempre têm de inverter sua amplitude, esta situação não é permitida. Para tais partículas há o princípio de exclusão de Pauli, que diz que dois férmions idênticos nunca podem estar fazendo exatamente a mesma coisa. Eles têm de estar em estados diferentes."

Ver nota 2 no final do Capítulo

"Para bósons, como eu disse, isso não é um problema. Suas amplitudes não têm de mudar quando dois deles trocam de lugar, por isso eles podem estar no mesmo estado. Na verdade, podem ir até além: eles não só podem estar no mesmo, como *gostam* de estar no mesmo estado. Normalmente, quando se tem uma superposição de estados e se eleva a amplitude ao quadrado para se obter a probabilidade de observação, os estados individuais na mistura são elevados ao quadrado separadamente e contribuem mais ou menos da mesma maneira para a probabilidade final. Se há dois bósons no mesmo estado, quando se eleva dois ao quadrado obtém-se quatro. Os dois contribuíram não com duas vezes, mas com quatro vezes mais. Se fossem três partículas no mesmo estado, a contribuição seria ainda maior. A probabilidade é muito maior quando se tem um grande número de bósons em um estado, por isso eles tendem a entrar todos no mesmo estado, se assim for possível. A isto se dá o nome de *condensação de Bose*.

"É esta a diferença entre bósons e férmions. Férmions são individualistas. Dois deles nunca farão exatamente a mesma coisa, enquanto bósons são sociáveis. Adoram andar em gangues, onde cada um se comporta da mesmíssima maneira que os outros. Como verão mais tarde, é este comportamento e esta interação entre os dois tipos de partículas em que vocês estão divididos que são os responsáveis pela natureza do mundo. De certa forma, vocês são os governantes do mundo."

Nessa hora, o Mecânico Quântico levou Alice para fora da sala de aula. "Aí está", ele disse. "Este é o Princípio de Pauli. Ele diz que dois férmions do mesmo tipo não podem nunca estar fazendo a mesma coisa, por isso só se pode ter apenas um em cada estado. O princípio se aplica a férmions de todo tipo, mas não a bósons. Isto quer dizer, entre outras coisas, que o número de férmions deve permanecer o mesmo. Férmions não aparecem ou desaparecem quando lhes dá na telha."

"Acho mesmo que não!", disse Alice. "Isso seria ridículo."

"Não sei se seria correto dizer isso, sabia? Bósons aparecem e desaparecem. A quantidade deles nunca permanece a mesma. Pode-se dizer que o número de férmions deve ser um número definido, se há um e apenas um em cada estado, já que um número específico de estados ocupados implica o mesmo número de férmions ocupando-os. A mesma ideia não vale para bósons, pois pode-se ter os bósons que quiser em qualquer estado. Na prática, o número de bósons nunca é constante.

"Se olhar por essa janela", ele disse de repente, enquanto andavam, "verá bem a diferença entre bósons e férmions."

Alice olhou pela janela e viu que um grupo de elétrons e fótons estava fazendo um teste no gramado da Academia. Os fótons estavam indo muito bem, girando para um lado e para outro em sincronia perfeita, sem nenhuma diferença entre nenhum deles. O grupo de elétrons, porém, estava se comportando de um jeito que, obviamente, deixava o sargento encarregado do teste totalmente desesperado. Alguns marchavam para a frente, mas em velocidades diferentes. Alguns marchavam para a esquerda e para a direita, ou mesmo para trás. Outros pulavam para cima e para baixo, alguns plantavam bananeiras e um estava deitado no chão, olhando para o céu.

"Ele está no nível fundamental", disse o Mecânico, olhando por cima do ombro de Alice. "Acredito que os outros elétrons queiram se unir a ele nesse estado, mas apenas um pode ocupar esse estado. A não ser que o spin do outro seja na direção oposta, é claro — já seria diferença bastante entre eles.

"A diferença entre férmions e bósons fica clara daqui. Os fótons são bósons e por isso é fácil para eles fazerem a mesma coisa. Na verdade, eles gostam de fazer a mesma coisa que os outros estão fazendo e por isso marcham muito bem juntos. Os elétrons, por outro lado, são férmions e o princípio de exclusão de Pauli impede que dois deles façam a mesma coisa. Eles têm de fazer coisas diferentes uns dos outros."

"Você fala muito dos estados em que os elétrons estão", observou Alice. "Poderia me explicar o que são esses estados?"

"Mais uma vez", ele respondeu, "a melhor maneira para você aprender é assistir a uma das aulas aqui. A Academia forma líderes mundiais, já que é a interação de elétrons e fótons que governa o mundo físico, na maior parte. Se eles devem ser líderes mundiais, é claro que têm de ter aulas sobre como governar. Venha comigo e verá."

Ele levou Alice a uma ampla construção de um só andar, nos fundos da Academia. Ao entrar, Alice viu que era um tipo de oficina. Havia elétrons trabalhando em várias bancadas. Alice se aproximou para observar um grupo que estava muito ocupado erguendo uma cerca ao redor de uma das bancadas. Ela pôde ver que havia várias estruturas sobre a bancada e que quando os alunos moviam a cerca, todas as estruturas mudavam.

"O que eles estão fazendo?", ela perguntou ao seu acompanhante.

"Estão construindo as condições de contorno para os estados. Os estados são controlados em grande parte pelas limitações que os cercam. Em geral, aquilo que se pode fazer é governado por aquilo que não se pode fazer e as restrições servem para definir os possíveis estados. Algo semelhante com as notas que se pode tirar de um órgão acústico. Um órgão é formado por tubos cujo comprimento delimita as notas que se pode tirar de cada um deles. Mudando o comprimento de um tubo, muda-se também as notas que dele sairão. Os estados quânticos são dados pela amplitude ou pela função de onda que o sistema pode ter, o que se assemelha bastante com a onda sonora num órgão acústico.

"Como você já descobriu, normalmente é impossível dizer o que um elétron está fazendo porque, ao observá-lo, você selecionará uma amplitude específica e reduzirá todas as amplitudes a essa escolhida. A única ocasião em que se pode realmente ter certeza sobre seu elétron é quando ele tem uma única amplitude em vez de uma superposição e quando sua observação pode dar somente um valor. Nesse caso, a probabilidade de se conseguir este valor com sua medida é de 100 por cento, e para qualquer outro valor a probabilidade é de 0 por cento — simplesmente impossível. Ao fazer a observação você obterá o resultado esperado. Nesse caso, a redução das amplitudes àquela observada por você não faz diferença alguma, pois você já estava nesse estado. O estado não é alterado pela sua observação e por isso é chamado de *estado estacionário*. Nesta aula, os elétrons estão construindo estados estacionários."

Alice deu a volta na bancada, olhando para os estados que os elétrons estavam construindo. Para ela, pareciam caixas, oito ao todo. Havia uma muito grande, uma um pouco menor que a maior de todas e seis pequenininhas todas mais ou menos do mesmo tamanho. Passando por uma das quinas da bancada ela ficou surpresa ao ver que os estados tinham mudado completamente. Agora pareciam prateleiras, como prateleiras de bolo, sobre altos pedestais. Duas delas eram bem maiores do que as outras; quatro tinham a mesma largura, mas com pedestais sucessivamente maiores do que os anteriores; e duas eram pequenas. Ela passou rápido para o lado seguinte da bancada. Agora a superfície tinha se transformado numa tábua em que estavam pregados cabides para capas. Havia duas filas de três cabides e outros cabides isolados na parte de cima e de baixo da tábua. "Meu Deus! O que está acontecendo?" ela perguntou ao Mecânico. "Os estados ficam diferentes dependendo da direção de onde olho para eles."

"Mas é claro", ele respondeu. "Você está vendo diferentes *representações* dos estados. A natureza de um estado depende de como você o observa. A própria

> Um *estado* descreve a condição de um sistema físico. É o conceito básico da teoria quântica — a melhor descrição que se pode ter do mundo real. Em geral, a amplitude de um estado dá a probabilidade dos vários resultados possíveis de qualquer observação. Para alguns estados, só pode haver um resultado possível para uma medida determinada. Quando um sistema está em um destes estados estacionários, qualquer medição desta quantidade dará um e somente um resultado possível. Medidas repetidas chegarão ao mesmo resultado todas as vezes. Daí o nome *estado estacionário*, ou o frequentemente usado termo alemão *eigenstate* (autoestado).

existência de um estado estacionário depende de uma observação para a qual ele sempre produzirá um resultado definido, mas um estado não pode dar resultados definidos para *todas* as observações que você pode fazer. Por exemplo, as relações de Heisenberg impedem que você veja a posição e o momentum de um elétron ao mesmo tempo. Por isso, um estado estacionário para uma observação não será mais estacionário para outra. As observações usadas para descrever os estados são chamadas de sua representação.

"A natureza de um estado pode ser muito diferente, dependendo de como você o observa. De fato, até a própria identidade dos diferentes estados pode mudar. Os estados vistos em uma representação podem não ser os mesmos em outra representação. Como você já deve ter notado, a única coisa que deve permanecer inalterada é o *número* dos estados. Se você puser um elétron em cada estado, será necessário ter o mesmo número de estados para contê-los, mesmo que os estados individuais tenham se alterado."

"É tudo muito vago para mim," reclamou Alice. "É como se fosse impossível saber com certeza o que realmente está lá."

"Certo!", respondeu o Mecânico alegremente. "Não tinha percebido ainda? Podemos falar com segurança de *observações* mas o que realmente está lá para ser observado é outra história.

"Venha comigo. É hora da assembleia noturna da Academia. Você vai achar muito interessante."

O Mecânico a levou de volta ao prédio principal, conduzindo-a através da entrada para um salão com o teto em arco. O chão estava completamente cheio de elétrons, espremidos o máximo que podiam. No alto, um camarote circundava

Existem certas quantidades que não podem compartilhar do mesmo estado estacionário; posição e momentum são dois exemplos. Se você tem um autoestado que dá um valor definido para a posição de uma partícula, a medida de seu momentum pode resultar em qualquer valor. Isso nos leva às relações de incerteza de Heisenberg. Havendo uma mistura de estados que correspondem a diferentes valores para posição, a medição para posição pode resultar em qualquer um dos valores adequados. A posição se tornou "incerta", apesar de agora a dispersão de valores de momentum poder ser reduzida.

Essa dispersão não é causada por técnicas de medida deficientes, ela é inerente ao estado físico. O valor indefinido de uma quantidade física, que pode ser inerente a um determinado estado, permitirá efeitos tais como a penetração de barreiras, a troca de partículas pesadas dentro dos núcleos, fótons em interações elétricas e a existência de partículas virtuais em geral. Partículas virtuais e trocas de partículas serão discutidas nos Capítulos 6 e 8.

todo o salão e nele Alice pôde ver as figuras vagas e distantes de uns poucos elétrons correndo para a saída. Só havia um pequeno espaço no chão perto da entrada por onde eles tinham vindo, e um elétron que vinha logo atrás deles correu para ocupá-lo e parou imediatamente, impedido pela densa multidão que bloqueava qualquer avanço.

Ver nota 3 no final do Capítulo

"Por que está tão cheio aqui?", perguntou Alice, impressionada com a cena à sua frente. "Este é o nível de valência", respondeu um dos prestativos elétrons. "Todos os espaços no nível de valência estão cheios porque o nível de valência está sempre cheio de elétrons. Nenhum de nós consegue se mover, pois não há estados livres para onde possamos ir."

"Isso é horrível!", ela disse. "Como vão poder andar pelo salão para sair daqui se está tudo tão lotado?" "Não podemos", disse o elétron com uma certa resignação satisfeita. "Mas você pode, se quiser. Você pode andar por aí à vontade, pois não há nenhuma outra Alice no salão. Isso faz com que haja vários estados de Alice livres para você ocupar. Você não terá problema algum com a Exclusão de Pauli." Apesar de achar tudo muito estranho, Alice começou a forçar caminho por entre a multidão compacta e percebeu, assim como quando havia tentado entrar no vagão lotado na estação de trem, que, por alguma razão, ela conseguia se mover sem nenhum impedimento.

Alice atravessou a multidão de elétrons em direção a um tablado no lado oposto do salão. Sobre ele estava o Diretor, sempre imponente em sua beca e chapéu de bacharel. Ao se aproximar, Alice começou a ouvir sua voz suave ecoando através do salão lotado.

"Sei que todos vocês tiveram um dia cheio, mas também sei que não preciso lembrá-los do importante papel que vocês desempenharão no mundo e para o qual devem estar preparados. Vocês, elétrons, cada um ocupando o devido estado, formam a substância de tudo o que conhecemos. Alguns de vocês estarão ligados a átomos e terão de funcionar em seus vários níveis, controlando todos os detalhes dos processos químicos. Alguns de vocês talvez encontrem seu lugar em um sólido cristalino. Lá, estarão relativamente livres de qualquer ligação a qualquer átomo em particular e poderão se mover até onde o Princípio de Pauli e seus colegas elétrons permitirem. Pode ser que vocês sejam destinados a compor uma banda de condução, onde poderão se movimentar livremente e onde será seu dever correr, de um lado para outro, carregando suas cargas elétricas como parte de uma corrente elétrica. Por outro lado, pode ser que acabem numa banda de valência dentro de um sólido. Talvez se sintam presos lá, onde não haverá estados livres para vocês entrarem. Não se desencorajem. Nem todo elétron pode estar nos estados de energia mais altos e, lembrem-se, os estados mais baixos também devem ser preenchidos."

Ver nota 4 no final do Capítulo

"Já vocês, os fótons, são os animadores e agitadores. Sozinhos, os elétrons permaneceriam complacentemente em seus devidos estados e nunca nada seria realizado. É seu dever interagir com os elétrons o tempo todo e produzir as transições entre os estados, as mudanças que fazem as coisas acontecer."

A essa altura do discurso do Diretor, Alice se deu conta das formas brilhantes de fótons correndo através da multidão de elétrons e dos flashes ocasionais vindo de diferentes partes da sala. Ela se virou para ver o que estava acontecendo. Era difícil ver muito longe, pois ela estava cercada por muitos elétrons.

"Que droga!" Alice não conseguiu evitar o comentário ao se deparar com todas as figuras cativas, presas em posições fixas pela multidão que elas próprias formavam. "Será que não há jeito de ninguém se mover?"

"Só se formos excitados até um nível mais alto", uma voz respondeu. Alice não conseguiu ver quem tinha falado. "Mas isso não importa", ela pensou consigo mesma. "Já que eles são todos o mesmo, deve ter sido o mesmo de sempre que falou comigo." Nessa hora apareceu um flash próximo, e Alice viu que um fóton veio correndo através da multidão e acertou um elétron em cheio. O elétron foi subindo e chegou até o camarote, de onde partiu em disparada para a porta de saída.

Alice estava prestando tanta atenção ao elétron em retirada que não viu outro fóton correndo em sua direção. Houve um flash e ela sentiu que estava flutuando. Quando olhou em volta, viu que estava no camarote, olhando para a massa de elétrons lá embaixo. "Deve ser isso que o elétron quis dizer com 'ser excitado até um nível mais alto'. Não acho que seja assim tão estimulante, mas ao menos há muito mais espaço aqui." Ela olhou para o salão abaixo e pôde perceber flashes aqui e ali, cada um deles seguido por um elétron que flutuava até alcançar o camarote onde, após pousar, ele ou ela corria em alta velocidade até a porta de saída. Um deles pousou no camarote bem perto de onde Alice estava.

Ela olhou para baixo e viu um pequeno buraco com a forma de um elétron no lugar onde ele estava antes de levitar. Era visível e claro, pois a cor do chão contrastava fortemente com a massa de elétrons compactados que cobria toda a superfície do salão. Observando esse espaço, ela viu outro elétron que espertamente ocupava o espaço que tinha acabado de ser criado, apesar de não poder avançar mais dali de onde estava. No lugar onde esse elétron estava, porém, havia agora outro buraco, que foi logo ocupado por um outro elétron que tinha recentemente chegado. "Que curioso!", pensou Alice. "Já me acostumei a ver elétrons, mas não

esperava ver a presença de *nenhum elétron* tão claramente!" Ela observou com interesse como o movimento ao longo do camarote do elétron que tinha se elevado para criar o buraco original era compensado pelo movimento do buraco em forma de elétron que avançava progressivamente em direção à porta por onde ela havia entrado.

Ver nota 5 no final do Capítulo

Quando tanto o elétron quanto o buraco haviam saído de seu campo de visão, Alice caminhou ao longo do camarote para a porta de saída. Ela achava que já havia ouvido bastante da fala do Diretor. Passando pela pequena porta, Alice se viu em um grande corredor. Esperando por ela ao lado da porta, estava o Mecânico Quântico. "Gostou?", ele perguntou.

"Gostei muito, obrigada", ela respondeu, com educação. Era isso que achava que esperavam dela. "Foi muito interessante ver o Diretor conduzindo a assembleia."

"Você diz isso", principiou o Mecânico, "mas eram os elétrons que estavam conduzindo, uma vez que todos foram excitados até o nível de condução. Todos os elétrons têm uma carga elétrica, como você sabe. Por isso, quando se movimentam, criam uma corrente elétrica. A carga que carregam é negativa, o que faz com que a corrente elétrica flua na direção oposta ao movimento dos elétrons, mas isso não tem tanta importância. Se todos os estados que um elétron pode alcançar já estiverem cheios de elétrons, como no nível de valência, não pode haver nenhum movimento e você acaba ficando com um isolante elétrico. Todos os elétrons e suas cargas ficam presos em suas posições e por isso não pode haver corrente elétrica. Nesse caso, só é possível obter uma corrente quando há a transferência de elétrons para o nível de condução vazio onde terão bastante espaço para se moverem livremente. Então, obtém-se uma corrente produzida tanto pelos elétrons quanto pelos buracos que eles deixam atrás deles."

"Mas como pode um *buraco* criar uma corrente?", protestou Alice. "Um buraco é uma coisa que nem está lá."

"Primeiro: você concorda que quando os elétrons estão todos presentes no nível de valência mais baixo eles não podem se mover e então não há corrente?", perguntou o Mecânico. "A corrente seria a mesma exatamente como se elétrons carregados negativamente não estivessem presentes."

"Sim", concordou Alice. Parecia bem razoável.

"Então deve admitir que quando há um elétron *a menos*, a corrente parecerá com aquela que ocorre quando há um a menos do que *nenhum* elétron. O buraco no nível de valência age como se fosse uma carga positiva. Você viu como o movimento do buraco em direção à porta era causado pelos elétrons que davam

um passo adiante, na direção oposta. A corrente elétrica gerada por elétrons negativamente carregados se afastando da porta é a mesma que aquela produzida por uma carga positiva se dirigindo para a porta. Como eu disse, os fótons produzem uma corrente tanto a partir dos elétrons que põem na banda condutora quanto dos buracos que deixam para trás."

"Os fótons parecem ser um baita incômodo para os elétrons", observou Alice, já querendo mudar de assunto."

"Bem, eles certamente são hiperativos, mas ao mesmo tempo são naturalmente brilhantes. É como o Diretor diz: 'Partículas serão sempre partículas!' Neste momento alguns deles devem estar estimulando elétrons no alojamento."

"Desculpe-me", disse Alice, mas você não quer dizer *provocando*? Tenho certeza de que foi essa a palavra que ouvi sendo usada para descrever trotes de alunos."

"É, *provocando* ou *estimulando*. Venha ver."

Eles continuaram pelo corredor até chegar a uma porta. O Mecânico a abriu e entrou, e Alice o acompanhou. Eles estavam num quarto comprido com beliches alinhados ao longo das paredes. Alice viu que muitas das camas de cima dos beliches estavam ocupadas por elétrons, mas as de baixo estavam vazias, em sua maioria. "Às vezes é mais fácil vê-los nas camas de cima do que nas de baixo", observou o Mecânico. "É o que se chama de *inversão de população*. Só quando eles estão assim é que a estimulação laser pode ocorrer."

Não demorou muito e um fóton apareceu correndo dentro do quarto. Ele correu para um dos beliches e colidiu com um dos elétrons que ocupava uma posição elevada. Com um baque, o elétron foi lançado para a cama de baixo e Alice se espantou ao ver que havia agora *dois* fótons correndo pelo quarto. Eles se mexiam com tamanha sincronia que pareciam ser um só. "Esse é um exemplo de *emissão estimulada*," murmurou o Mecânico dentro do ouvido de Alice. "O fóton fez com que o elétron fizesse uma transição para um nível mais baixo e a energia liberada criou outro fóton. Veja agora como acontece a estimulação laser."

Os dois fótons corriam de um extremo a outro do quarto. Um deles colidiu com um elétron e então havia três fótons e mais um elétron no nível inferior. Alice viu os fótons interagindo com mais elétrons, produzindo ainda mais fótons. Vez ou outra ela, via um fóton se chocando com um elétron que já estava na cama de baixo de um dos beliches. Quando isso acontecia, o elétron disparava para a cama de cima e o fóton desaparecia mas, como desde o começo havia muito poucos elétrons nas camas de baixo, esse era um fato não muito frequente.

Ver nota 6 no final do Capítulo

O quarto logo estava tomado por uma horda de fótons idênticos, todos correndo de um lado para outro em perfeita sincronia. Havia agora tantos elétrons nas camas de baixo quanto nas de cima, o que fazia com que as probabilidades de um elétron ser excitado até uma posição mais elevada, com a perda de um dos fótons, fossem as mesmas de um possível rebaixamento, com a criação de um novo fóton. O fluxo de fótons adentrou pela porta no fim do alojamento e percorreu o corredor alinhado e unido como um feixe de luz corrente. Antes que chegassem à metade do corredor, os fótons se chocaram com o corpo grande e pesado do Diretor, que andava em direção a eles.

Ele parou imediatamente, fazendo sua presença ser sentida plenamente, e abriu as abas de sua beca, uma para cada lado, mostrando seu corpo denso e negro e bloqueando totalmente o corredor. Os fótons atingiram o material escuro como tinta e desapareceram completamente. O Diretor ficou onde estava por um momento, aparentando calor e enxugando o suor de seu rosto corado com um lenço.

"Não vou tolerar esse comportamento", bufou. "Já avisei que qualquer fóton que aja dessa maneira será imediatamente absorvido. É um trabalho quente, porém, pois a energia liberada tem de ir a algum lugar, e normalmente acaba transformada em calor."

"Com licença", disse Alice. "Poderia me dizer aonde foram todos aqueles fótons?"

"Não foram a lugar nenhum, minha cara. Ele foram absorvidos. Não existem mais."

"Puxa vida, que tragédia", exclamou Alice, sentindo pena dos pobres fótons que desapareceram tão abruptamente.

"Nada disso, nada disso. Faz parte da vida de uma partícula não conservada. Os fótons são assim. Vêm fácil, vão fácil. Estão sempre sendo criados e destruídos. Não é nada muito sério."

"Aposto que, para um fóton, deve ser", replicou Alice.

"Eu não teria tanta certeza assim. Não acho que faça muita diferença para um fóton o tempo que ele parece existir *para nós*. Eles viajam à velocidade da luz pois, afinal, eles *são* luz. Para qualquer coisa que se mova a essa velocidade, o tempo pára, na verdade. Assim, embora o tempo que sobreviveram pareça longo para nós, para eles nenhum tempo transcorreu. Toda a história do universo passaria num flash para um fóton. Suponho que seja essa a razão de eles nunca se entediarem.

"Como eu disse na assembleia, os fótons têm papéis muito importantes a desempenhar excitando elétrons, fazendo-os passar de um estado a outro, e criando as interações que dão lugar aos estados, antes de tudo. Para isso, é necessário que sejam criados e destruídos o tempo todo. Faz parte de sua função, poderíamos dizer. Criar interações, contudo, é mais uma função dos fótons virtuais. Não lidamos muito com eles por aqui. Se você estiver interessada nos estados e como se passa de um para o outro, você deveria visitar o Corretor de Estados. Seu amigo aqui vai lhe mostrar o caminho até lá."

O Diretor os acompanhou até os portões da Academia. Andando pela estrada, Alice se virou e acenou para o Diretor, que ocupava solidamente o espaço entre os portões, no mesmo lugar onde ela o tinha visto pela primeira vez.

Notas

1. Se você tiver muitas partículas, você terá algum tipo de amplitude de cada uma delas e uma amplitude total para descrever todo o sistema de partículas. Se as partículas forem todas diferentes umas das outras, você sabe (ou *pode* saber) o estado em que cada uma delas se encontra. A amplitude total é apenas o produto das amplitudes de cada partícula separadamente.

   Se as partículas forem idênticas umas às outras, as coisas ficam um pouco mais complicadas. Elétrons (ou fótons) são totalmente idênticos. Não existe *nenhuma maneira* de distinguir um do outro. Se você viu um, viu todos. Se dois elétrons trocarem entre si os estados que ocupam, não há como perceber que isso aconteceu. A amplitude total é, como sempre, uma mistura de todas as amplitudes indistinguíveis, que agora incluem todas as permutações em que partículas tenham trocado de estados.

   A troca de estados entre duas partículas idênticas não faz diferença alguma no que diz respeito à observação, o que significa que também não faz diferença quanto à distribuição de probabilidades, que é obtida com a multiplicação da amplitude por ela mesma. Isso poderia significar que a amplitude também não muda, ou *poderia* significar que a amplitude muda de sinal, passando, por exemplo, de positivo para negativo. É como multiplicar a amplitude por –1. Quando se multiplica a amplitude por ela própria para obter a amplitude de probabilidade, este fator –1 é também multiplicado por si mesmo, resultando no fator +1, que não produz nenhuma mudança na probabilidade. A mudança de sinal parece um detalhe acadêmico, mas tem consequências surpreendentes.

2. Não há um motivo óbvio para que uma amplitude *deva* mudar de sinal só porque não pode ser mostrado que isso é impossível, mas a Natureza parece seguir a regra de que qualquer coisa não proibida é compulsória e deve acontecer em todas as suas possibilidades. *Existem* partículas para as quais a amplitude muda de sinal quando duas delas são permutadas. Elas são chamadas *férmions*, de quem os elétrons são um exemplo. Há também as partículas cujas amplitudes não mudam nunca quando elas são permutadas. São os *bósons*, e os fótons são desse tipo.

Será que realmente importa se o sinal de uma amplitude para um sistema de partículas muda ou não muda quando duas partículas mudam de estados entre si? Surpreendentemente, importa. Importa e muito.

Não se pode ter dois férmions no mesmo estado. Se dois bósons estiverem no mesmo estado e você fizer com que troquem de lugar entre si, realmente não fará diferença alguma — pode ser que nem o sinal mude. Tais amplitudes não são permitidas para férmions. Isso é um exemplo do Princípio de Pauli, que diz que dois férmions não podem nunca estar no mesmo estado. Férmions são individualistas extremados; dois deles nunca se harmonizam plenamente.

O Princípio de Pauli é extremamente importante e vital para a existência dos átomos e da matéria como a conhecemos. Bósons não obedecem ao Princípio de Pauli — muito pelo contrário, na verdade.

Se cada partícula estiver em um estado diferente e você elevar ao quadrado a amplitude total para calcular a distribuição de probabilidades para as partículas, cada uma delas contribuirá com a mesma quantidade para a probabilidade total. Se duas partículas estiverem no mesmo estado e você elevar isso ao quadrado, você obterá uma contribuição quatro vezes maior de apenas duas partículas. Cada uma contribui proporcionalmente mais, o que faz com que duas partículas no mesmo estado sejam uma situação *mais* provável do que cada uma apresentar-se em estados diferentes. Três ou quatro partículas no mesmo estado são uma situação ainda mais provável, e assim por diante. Essa probabilidade crescente de se ter muitos bósons no mesmo estado dá origem ao fenômeno da condensação de bósons: os bósons *gostam* de ficar juntos no mesmo estado. Eles são facilmente liderados e inerentemente gregários.

A condensação de bósons é vista, por exemplo, na operação de um raio laser.

3. Forças elétricas que envolvam elétrons podem operar para manter átomos juntos, como discutido no Capítulo 7, mas não dão origem a nenhuma força de repulsão que possa separar os átomos. Por que então os átomos mantêm uma distância razoavelmente uniforme entre si? Por que os sólidos não são comprimíveis? Por que os átomos não podem ser empurrados um para dentro do outro, fazendo com que um bloco de chumbo fique como um objeto muito pesado de tamanho atômico? Novamente, é uma consequência do Princípio de Pauli, que diz que dois elétrons não podem estar no mesmo estado.

   Porque os átomos de um determinado tipo são todos iguais, cada um deles tem a mesma gama de estados. Mas isso não põe os elétrons equivalentes de cada átomo no mesmo estado? E isso não é proibido? Na verdade, os átomos estão em posições diferentes e por isso os estados são ligeiramente diferentes. Se você pudesse superpor os átomos, então os estados *seriam* o mesmo, e o Princípio de Pauli proíbe isso. Os átomos são mantidos separados por aquilo que se chama pressão de Fermi, que é na verdade a recusa intensa dos elétrons de um átomo de serem os mesmos que os de seu vizinho. A matéria é incomprimível por causa do individualismo extremo dos elétrons.

4. Em um sólido, os estados eletrônicos dos átomos individuais se combinam para formar um grande número de estados eletrônicos que pertencem ao sólido como um todo. Esses estados estão agrupados em bandas de energia, dentro das quais os níveis de energia dos estados estão tão próximos que são quase contínuos. Em correspondência com as separações, maiores, dos níveis de energia nos átomos individuais, existem intervalos nas bandas de energia do sólido. As bandas mais baixas ficam cheias de elétrons vindos dos níveis mais baixos do átomo. A mais alta dessas bandas cheias de elétrons é chamada de banda de valência e, acima dela, separada por um intervalo de banda que não contém estado algum, está outra banda: a banda de condução. Essa banda ou fica completamente vazia ou, no máximo, parcialmente cheia.

   Na banda de valência os elétrons não podem se mover. Qualquer movimento de elétrons exige que eles mudem de um estado para outro, mas não há estados vazios para onde possam ir. Quando um potencial elétrico é imposto a alguma substância, ele aplica uma força sobre os elétrons da banda de valência, mas eles não podem se mover. Se não houver elétrons na banda de condução, a substância funcionará como isolante elétrico.

5. Se for dada suficiente energia para um elétron numa banda de valência completa, ou por colisão com um fóton ou mesmo por uma concentração ocasional de energia térmica, esse elétron poderá ultrapassar o intervalo entre as bandas e penetrar na banda de condução. Como há bastante estados vazios nessa banda, o elétron poderá se movimentar à vontade, e um potencial elétrico ocasionaria condução. Além disso, haveria um espaço vago no nível de valência, onde o elétron estava. Outro elétron pode vir a ocupar esse buraco, e assim por diante. Um espaço seria aberto na banda de valência, que estava cheia anteriormente, e ele se movimentaria na direção oposta ao deslocamento dos elétrons. Esse buraco, ou espaço vazio, comporta-se como se fosse uma partícula com carga positiva.

   Essa é a descrição do comportamento dos materiais semicondutores, como o silício, amplamente usado na eletrônica. A corrente elétrica é levada tanto pelos elétrons no nível de condução quanto pelos *buracos* no nível de valência.

6. Quando um fóton contendo a energia certa interage com um elétron em um átomo, ele pode produzir uma transição de um nível de energia a outro, como descrito no Capítulo 6. Na maior parte dos casos, a transição será de um nível de energia mais baixo para um mais alto, já que normalmente os níveis mais baixos estão todos cheios. O fóton é igualmente capaz de produzir uma transição de um nível mais alto para um mais baixo, se este estiver vazio.

   Se, por acaso, uma substância tiver muitos elétrons em um nível alto, e um nível mais baixo estiver vazio em sua maioria (uma condição conhecida como *inversão de população*), um fóton poderá então fazer com que um elétron seja transferido de um estado mais alto para um mais baixo. Essa mudança libera energia e cria um novo fóton, além daquele que causou a transferência. Esse fóton pode, por sua vez, induzir mais elétrons a se transferirem para níveis mais baixos.

   Em um laser, a luz produzida é refletida de um lado para outro por espelhos colocados nas extremidades de uma cavidade, produzindo mais emissões de fótons a cada vez que atravessa a substância. Um pouco dessa luz escapa através dos espelhos, que não são refletores perfeitos, produzindo um feixe de luz intenso e estreito: a luz laser. Porque os fótons são emitidos em resposta direta aos fótons já presentes, a luz é toda "em compasso", ou *em fase*, e tem propriedades únicas para produzir efeitos de interferência em larga escala, como se pode ver em hologramas. (Nem todo holograma precisa de luz laser, mas ela ajuda.)

Realidade Virtual

6

O Mecânico Quântico levou Alice pela estrada até chegar a um portão de ferro que guardava a entrada de um parque muito bonito, onde eles entraram. Lindos canteiros com uma incrível variedade de flores, alinhados em ambos os lados do caminho, produziam um agradável efeito enquanto Alice e seu acompanhante passeavam sob um sol de verão que brilhava forte, espalhando sua luz sobre a cena idílica. Ao longo do caminho, borboletas coloridas passeavam por entre botões chamativos e um pequeno regato borbulhava sobre um leito de seixos redondos, onde aqui e ali o curso d'água se derramava numa cachoeira em miniatura. Alice achou tudo muito bonito e estava olhando deliciada à sua volta quando viu alguém se aproximar pelo caminho.

A recém-chegada era claramente outra menina, mas havia algo de estranho nela. De alguma forma, ela parecia com a própria Alice, mas era mais semelhante às figuras que Alice tinha visto nos negativos de suas fotografias. Alice se lembrou dos antielétrons que tinha visto no Banco. Para sua surpresa ela percebeu que, apesar de a menina estar vindo ao seu encontro, ela estava olhando na direção oposta e andando de costas.

Alice estava tão absorvida pela notável semelhança dessa estranha menina que não avaliou a rapidez com que as duas estavam se aproximando. Antes de se dar conta, elas colidiram. Apareceu um clarão cegante que a deixou sem sentido. Ao voltar a si, ela se surpreendeu caminhando sozinha pelo caminho por onde tinha vindo a outra garota. Olhando para trás, ela via a menina-invertida se afastando, ainda andando de costas, no caminho por onde a Alice original tinha vindo. Agora, porém, ela estava acompanhada por outra figura em negativo que caminhava amigavelmente de costas, ao seu lado. Essa segunda figura parecia seu antigo acompanhante, o Mecânico Quântico.

Olhando em volta, Alice ficou surpresa ao descobrir que a paisagem também tinha mudado dramaticamente. Tudo parecia estar invertido. No céu, o sol brilhava escuro, sugando a luz da cena abaixo. Ao longo do caminho, borboletas sem cor passeavam por entre botões escuros e um pequeno regato corria ao contrário sobre um leito de seixos redondos, onde aqui e ali o curso d'água subia até o topo de uma cachoeira em miniatura. Alice nunca tinha visto nada parecido.

Ela estava tão fascinada pela incrível cena que novamente não percebeu uma menina invertida se aproximando veloz. Alice se virou bem na hora em que as duas colidiram, produzindo outro clarão cegante. Quando se recuperou, Alice viu que a garota estava se afastando pelo caminho por onde ela própria tinha vindo. Percebeu também que a paisagem tinha voltado ao normal. “Cada vez mais

curioso", disse Alice para si mesma. "A primeira colisão fez com que tudo se invertesse, enquanto a segunda pôs tudo de volta ao normal. Não tenho a menor ideia de como isso pôde acontecer. Como pôde o meu encontrão com aquela menina, por mais violento que tenha sido, ter afetado o regato e o sol? Não faz o menor sentido." Alice continuou discutindo com ela mesma o significado dessa última experiência. Tinha sido tão impressionante que ela mal prestou atenção quando ouviu um estrondo ao seu lado e viu, logo depois, um fóton extremamente enérgico passar correndo por ela.

Ela ainda não tinha alcançado nenhuma explicação satisfatória para sua experiência quando o caminho a conduziu para fora do parque até uma ampla planície. Não havia nada nela, a não ser uma grande construção comercial, cuja entrada, um pouco mais à frente, estava virada na direção de Alice.

Ao se aproximar, ela viu que havia um cartaz na frente do prédio, bem no meio da fachada, um pouco acima de sua cabeça. De um lado, o cartaz dizia "Corretor de Estados" e do outro, "Filiado à Associação Virtual". Na frente do prédio havia uma porta e uma pequena janela, cheia de avisos.

GENUÍNAS REDUÇÕES DE AMPLITUDE EM LIQUIDAÇÃO
Ótimas Características Periódicas
Propriedades situadas em cobiçadas Bandas de Energia
Preços atraentes para Transição imediata

Como Alice não viu ninguém do lado de fora, abriu a porta e entrou. Logo atrás da porta havia um pequeno balcão e, atrás dele, um amplo salão, quase vazio a não ser por fileiras de prateleiras que se erguiam em meio às sombras, à distância. No centro do salão, só se via um único indivíduo sentado atrás de uma escrivaninha, falando ao telefone. Ao ver Alice, ele se levantou e veio correndo.

Pôs as mãos sobre o balcão e abriu um sorriso cheio de dentes, de um jeito muito pouco sincero. "Entre, entre", disse, ignorando o fato de que Alice já tinha entrado. "O que posso ter o prazer de lhe mostrar? Talvez esteja planejando se mudar para seu primeiro estado? Tenho certeza de que posso lhe oferecer toda satisfação."

"Para dizer a verdade", começou Alice, resistindo à tentação de mentir, "não estou procurando por nada. Me disseram que você poderia me dizer algo sobre como elétrons e outras partículas se movem entre estados."

"Você veio ao lugar certo. Há muito tempo que nos estabelecemos no negócio de transição de partículas. Se vier comigo para uma de nossas locações, tentarei esclarecer a situação para sua total satisfação."

Alice entendeu com isso que ele explicaria alguma coisa. Passou para o outro lado do balcão e seguiu o homem até uma série de prateleiras, ou o que quer que fossem. Ou estavam muito longe e eram muito grandes, ou talvez ela e o Corretor de Estados encolhiam quando se aproximavam. Fosse como fosse, ela viu que agora que estava se aproximando, elas se pareciam como um grande quarteirão de edifícios. Havia um cartaz que dizia:

Mansões Periódicas

As prateleiras eram bem abertas na frente e Alice conseguia ver os elétrons se movimentando em cada nível.

"Aí está um bom exemplo dos estados de qualidade construídos em níveis de energia bem espaçados. Cada um deles é ocupado pelo número permitido de elétrons, até o nível mais alto ocupado. Acima dele há vários estados vagos, mas atualmente não há espaço para mais elétrons nos níveis mais baixos. Quando um elétron é um inquilino antigo não há, é claro, espaço para ainda outro elétron. Normalmente, se ninguém se intrometer, o elétron não tem inclinação alguma a sair de um estado uma vez que o tenha ocupado. Porém, se esperarmos um pouco, pode ser que vejamos um movimento forçado."

Alice esperou, olhou para o prédio e, logo depois, viu um fóton entrar correndo pela porta da frente. Houve uma agitação e um dos elétrons no nível mais baixo ascendeu e sumiu de vista. Alice olhou em volta para ver de onde o fóton tinha vindo. Estacionado próximo ao prédio havia um pequeno caminhão com os seguintes dizeres pintados do lado:

MUDANÇAS FÓTON
Fazemos todo o trabalho de Transição

"Que sorte", exclamou contente o Corretor de Estados. "Um fóton doou sua energia para um elétron do nível mais baixo e a excitação o levou a um dos estados vagos lá de cima. Não é sempre que ocorre uma mudança no nível fundamental. Isto cria uma vaga bem atraente. Devo tomar providências imediatamente."

Ele saiu correndo e voltou logo depois com um cartaz pregado numa estaca que ele fincou no chão. O cartaz dizia:

PROPRIEDADE VAGA!
Ótimo Estado no Nível Fundamental

Mal tinha ele posto o cartaz no lugar, e um dos elétrons no segundo nível deu um grito e caiu para o andar de baixo. Uma vez lá, ele se aquietou e continuou como se nada de errado tivesse acontecido. Quando ele caiu, Alice viu um fóton sair correndo. Porque o elétron não tinha caído muito, a energia contida nesse fóton era bem menor do que aquela contida no fóton que atingiu o primeiro elétron.

O Corretor de Estados suspirou, tirou um pincel do balde que havia trazido junto com o cartaz, começou a cobrir as palavras "Nível Fundamental" e a escrever "Segundo Nível" no lugar. A tinta mal tinha secado quando Alice ouviu outro grito agudo. Um elétron do terceiro nível tinha caído para o espaço vago do segundo. O Corretor de Estados praguejou e mudou o cartaz de novo escrevendo "Terceiro Nível". Jogou o pincel dentro do balde e olhou para o prédio.

Outro grito agudo. Um elétron do alto do prédio tinha caído para o terceiro nível. O Corretor de Estados arrancou o cartaz da estaca, jogou-o no chão e começou a pisoteá-lo.

Ver nota 1 no final do Capítulo

"Com licença", disse Alice, hesitando ao interromper aquela demonstração de emoção. "Você tinha dito que os elétrons permaneceriam em seus estados indefinidamente se fossem deixados em paz, mas esses parecem ter caído espontaneamente."

"Assim pode parecer", respondeu o Corretor, contente por se distrair um pouco de seu momentâneo ataque de nervos. "Na verdade, todas essas transições de elétrons foram estimuladas por fótons, mas você não os percebeu, pois eles são fótons *virtuais*. Fótons virtuais têm um papel muito importante em todas as interações de elétrons. Eles não só provocam essas transições aparentemente espontâneas entre estados, como também ajudam a criar os estados. As mesmas partículas que mantêm um elétron em seu estado estável são também aquelas que forçam o elétron a deixá-lo.

"Antes de eu lhe falar sobre partículas virtuais, devemos dar uma olhada em partículas normais, aquelas que *não* são virtuais. Elas são normalmente conhecidas como partículas reais. O que as distingue é que há uma estreita relação entre suas massas individuais e a energia e o momentum que podem ter. É disso que trata aquele aviso."

O Corretor apontou para um pequeno adesivo, impresso em papel verde fosforescente, que tinha sido colocado na entrada do prédio. Estava escrito:

Partículas reais fazem tudo na Camada de Massa

"Dá para ver que todos gostam muito de cartazes por aqui", Alice pensou consigo mesma. "Esse soa bastante sugestivo, mas devo admitir que não entendo o que ele diz."

"A camada de massa", disse o Corretor, como se respondendo a seus pensamentos, "é a região em que energia e momentum se relacionam da maneira específica necessária às partículas reais. É o caminho reto e estreito trilhado pelas partículas convencionais e inflexíveis.

"Se você quiser ter força na comunidade e poder mexer nas coisas por aqui, você tem de ser capaz de transferir momentum. Se quer que algo se mova do lugar onde está, ou se quer impedir que algo se afaste, você deve transferir momentum. Em qualquer um dos casos, você está tratando com movimento e movimento significa momentum. Pouco importa se você quer iniciar um movimento ou impedir um movimento. São as mudanças no momentum que desviam objetos de suas trajetórias e fazem as coisas mudar. E, igualmente, é o controle do momentum que faz as partículas tomarem um trajeto determinado.

Elétrons podem ser estimulados por fótons a fazer transições em qualquer sentido, causando absorção estimulada ou emissão estimulada. Elétrons que foram excitados para níveis mais altos de energia acabam decaindo para um estado inferior, se houver algum disponível, mesmo se aparentemente não houver fótons presentes. A isso chamamos *decaimento espontâneo.* A Mecânica Quântica diz que toda transição é causada por alguma coisa, elas não acontecem sem nenhum motivo. As quedas aparentemente espontâneas são na verdade causadas por fótons, mas não fótons reais. Elas são estimuladas por fótons virtuais: flutuações quânticas do vácuo.

Em volta de toda carga elétrica há uma nuvem de fótons virtuais, cuja interação com outras partículas carregadas cria um campo elétrico. Por constituírem o campo elétrico, esses fótons virtuais estão sempre presentes em um átomo e podem produzir quedas aparentemente espontâneas de estados eletrônicos.

"Na camada de massa, não se pode ter momentum sem dispor da energia cinética própria da massa que você tiver. Uma partícula com muita massa, que tenha muita energia já investida em sua massa de repouso, não precisa de tanta energia cinética adicional para lhe fornecer uma determinada quantidade de momentum quanto precisaria uma partícula mais leve. Todas as partículas reais precisam ter uma determinada quantidade de energia se quiserem ter momentum. Isso vale até para os fótons, que não têm nenhuma massa de repouso."

O Corretor meteu a mão no bolso e tirou um monte de documentos. "As condições são bem precisas. Se as partículas reais as obedecerem, estão livres, livres de qualquer dívida energética. Podem se mover como quiserem, o quanto quiserem. Estão livres para ir e vir. Você deve ter visto a regra 'O que não é proibido é compulsório.'"

"Vi, sim", respondeu Alice, ansiosa para mostrar seus conhecimentos. "Foi no Banco Heisenberg, a gerente me falou sobre momentum e..."

"Há outra regra", continuou o Corretor entusiasmado, sem nem mesmo parar para ouvir a resposta de Alice, "que diz: 'Aquilo que *é* proibido deve ser feito rapidamente.' Essa é a regra seguida pelas partículas virtuais. Elas não são muito discutidas na sociedade clássica e educada, mas têm um papel muito importante para o mundo. As partículas virtuais se comportam de maneira que as leis clássicas dizem não ser permitido."

"Como pode ser isso?" perguntou Alice, um pouco ingenuamente. "Com certeza, se algo for proibido, nenhuma partícula poderá fazê-lo."

O Corretor ouviu e respondeu: "São as flutuações quânticas que permitem que isso aconteça", disse. "Se já esteve no Banco, vai se lembrar de que as partículas podem pedir energia emprestada por pouco tempo. Quanto maior a energia, menor o tempo, é claro. Você já deve ter ouvido a expressão: 'O difícil fazemos agora, o impossível demora mais um pouco.' Bem, na mecânica quântica o impossível não demora mais um pouco, mas dura um pouco menos. Partículas virtuais podem desfrutar de todos os benefícios de energia que não possuem, por um curto período de experimentação gratuita. Isso inclui serem capazes de transferir momentum."

"Deve ser um período muito curto", disse Alice, pensativa.

"E é mesmo. Mas é de graça. Por isso, todos querem. Você terá uma apreciação melhor das partículas virtuais quando as tiver visto."

"Mas eu não consigo vê-las", reclamou Alice. "A questão é essa."

"Você não consegue vê-las agora", o Corretor respondeu rispidamente, "mas verá quando puser meu capacete de *realidade virtual*." Ele começou a andar rapidamente na direção de onde tinham vindo e Alice torceu para que não o tivesse ofendido. Ficou aliviada ao vê-lo voltando, carregando um capacete que parecia

Na teoria quântica, o conceito de uma partícula não é tão preciso quanto na física clássica. As partículas carregam e transferem energia numa forma "quantizada", em pacotes discretos. Em muitos casos, elas têm massas definidas, o que as distingue claramente de outras partículas e lhes permite carregar quantidades específicas de outras quantidades, tais como carga elétrica. Fótons têm massa de repouso nula (que também é um valor definido). Partículas reais, aquelas com existência de longa duração, têm relações estritas entre os valores de massa, energia e momentum. Onde as partículas são criadas e destruídas e têm uma existência efêmera, elas não obedecem a essas regras estritas, e as flutuações quânticas em sua energia podem ser grandes. Isso é especialmente válido para aquelas partículas que são intercambiadas para promover a interação entre outras partículas. Toda a energia de tais partículas é uma flutuação quântica. Elas são literalmente criadas do nada. O vácuo não é um vazio absoluto, e sim uma estrutura fervilhante dessas partículas de vida curta.

algo altamente tecnológico. Tinha um visor transparente que cobria toda a frente, e um longo fio que ficava preso a um plugue na parte de trás. O fio percorria todo o caminho por onde eles tinham vindo até sumir de vista.

"Aqui está", disse ele, triunfante, "uma maravilha da tecnologia moderna. É só colocar e você verá o mundo das partículas virtuais."

Alice ficou um pouco nervosa ao olhar para o capacete. Era grande e parecia *bem* complicado e até, pensou ela, um pouco sinistro. Mas, já que ele iria revelar o mundo das partículas virtuais de que ela tanto tinha ouvido falar, não havia por que não tentar. Ela colocou o capacete na cabeça. Era bem pesado. O Corretor mexeu em algo e fez uns ajustes do lado do capacete, onde ela não conseguia ver. A visão através do visor ficou embaçada com pontinhos brilhantes e...

Quando sua visão clareou, tudo tinha mudado dramaticamente. Alice ainda via os elétrons em seus vários níveis, mas agora, em vez de parecerem estar dentro de um edifício alto, ela os via posicionados em uma rede de linhas que ligavam um elétron a outro, como se eles fossem moscas presas nos fios brilhantes da teia de uma aranha gigante. Olhando mais atentamente para os fios, ela percebeu que eles

eram feitos de fótons, mas fótons muito diferentes daqueles que ela tinha visto na Academia.

Todos os fótons que ela tinha conhecido até então se moviam com muita velocidade, mas ao menos se moviam normalmente. Eles começavam em uma posição e um pouco depois estavam numa nova posição. Mesmo que essas posições não fossem muito bem definidas, no intervalo entre uma e outra, os fótons passavam por todos os pontos intermediários. Alice nunca pensou que seria possível viajar de alguma outra forma, mas alguns desses fótons virtuais pareciam fazer exatamente isso. Ao olhar para eles, Alice tinha muita dificuldade em dizer qual a direção em que iam, ou mesmo se estavam realmente se movendo de maneira normal. Um fio determinado da teia, que representava o comportamento de um fóton, parecia estar ao mesmo tempo nas posições dos dois elétrons que ele interligava, sem aparentemente estar se movendo da maneira normal de um lado para outro. Esse elo desaparecia, enquanto outros apareciam em outros lugares da grande teia de fótons que ligava as cargas elétricas de todos os elétrons.

Era uma visão bonita e incomum. Os fótons virtuais se moviam de todas as maneiras possíveis, enquanto alguns fótons pareciam ter dominado a arte de viajar de um ponto a outro sem realmente precisar que o tempo passasse entre os dois eventos.

Enquanto Alice olhava interessada a estranha cena, ela começou a ouvir um ruído no capacete, perto de sua orelha, que foi imediatamente seguido por um

Na teoria quântica, as partículas exibem propriedades classicamente associadas a ondas contínuas. Paralelamente, os campos de força clássicos são compostos por partículas. A interação elétrica entre duas partículas carregadas quaisquer é causada pela troca de fótons entre elas. Esses fótons têm uma existência curta, o que significa que são bem localizáveis no tempo e por isso sua energia é indefinida. São *partículas virtuais*, cuja energia e momentum podem flutuar para longe dos valores que seriam normais para uma partícula de longa duração.

"clique". A visão que ela tinha à sua frente tremulou e voltou a ter o aspecto mundano que tinha antes de ela pôr o capacete. Alice reclamou alto por perder aquele quadro fascinante. "Desculpe-me", disse o Corretor. "Infelizmente há um mecanismo de tempo embutido no mecanismo. Minha ideia era fazê-lo funcionar com moedas."

Alice ainda estava impressionada demais pela visão para dar alguma atenção às desculpas do Corretor e tentou descrever para ele o que tinha visto. Assim como todas as pessoas que Alice tinha conhecido nesse estranho mundo, ele começou imediatamente a dar uma demorada explicação.

"Esse é só mais um exemplo de como uma partícula virtual faz coisas que uma partícula normal não pode fazer. É um pouco como a penetração de barreiras. Acho que você já deve ter visto algum caso de penetração de barreiras."

"Me disseram que sim," respondeu Alice, com cuidado. "Vi alguém atravessar uma porta assim que cheguei aqui, e me disseram que ele conseguia fazer isso porque sua função de onda se espalhava para dentro e através da porta, gerando uma pequena probabilidade de ele ser observado do outro lado."

"É verdade. Essa parte da função de onda permitiu que seu amigo penetrasse uma barreira que teria detido uma partícula clássica. Ele não tinha energia suficiente para atravessar a barreira. Por isso, ao atravessar a porta ele estava num tipo de condição virtual. Há poucas partículas, se é que há alguma, que são inteiramente reais. Quase todas têm alguns aspectos virtuais, apesar de algumas serem mais virtuais do que outras. Os fótons de troca que você estava observando são quase inteiramente virtuais.

"A regra geral diz que as partículas virtuais não obedecem às regras, mas mesmo assim não conseguem escapar delas por muito tempo. Isso significa que podem fazer coisas para as quais não têm energia suficiente. Essas partículas virtuais trocadas, como os fótons que você viu, produzem interações entre outras partículas. Elas podem penetrar através de barreiras que deteriam uma partícula clássica, e isso inclui a barreira do tempo. Elas se movem de maneira *tipo-espaço*, enquanto partículas reais só podem ser *tipo-tempo*. Isso significa que, apesar de uma partícula real poder permanecer em uma mesma posição enquanto o tempo passa, ela é incapaz de permanecer em um mesmo tempo enquanto sua posição muda. Uma partícula virtual pode fazer ambos. Ela pode se mover lateralmente no tempo, se assim escolher."

"Muito curioso", disse Alice. "Não me surpreende saber que partículas reais não podem fazer isso e que se movem apenas do passado em direção ao futuro."

Ver nota 2 no final do Capítulo

"Na verdade, não é bem assim", disse o Corretor, a título de desculpa. "Com certeza é verdade que a maioria das partículas avança no tempo, assim como você pensou. A maioria das partículas, porém, torna-se um pouco virtual ocasionalmente, durante uma colisão, por exemplo. Isso quer dizer que uma partícula real é capaz de mudar. Numa hora está se movimentando para a frente no tempo, de maneira obediente e respeitável. Na outra, descobre-se que ela inverteu seu caminho e está se deslocando para trás, na direção do passado. Pode ser surpreendente, mas é permitido que uma partícula real se comporte desta maneira."

"Oh!", gritou Alice, assustando o Corretor, que prosseguia com sua cuidadosa descrição. "Acho que foi isso que aconteceu comigo mais cedo. Não podia imaginar o que teria havido comigo quando estava andando pelo parque e vi que tudo ao meu redor estava invertido, mas agora sei que não era o regato nem as borboletas que estavam andando para trás, era eu que estava voltando no tempo!"

Alice contou a seu acompanhante tudo que conseguiu lembrar sobre o acontecido e ele concordou com a interpretação dela. "Certamente me parece um típico caso de produção de antipartículas", ele disse.

"Antipartículas!", exclamou Alice. "Não sabia que isso tinha a ver com antipartículas. Lembro-me de tê-las visto no Banco Heisenberg, mas não entendo o que elas podem ter a ver com o que houve aqui."

"Eu diria que é óbvio", disse o Corretor, apesar de Alice não achar nada óbvio. "Você não vê que quando uma partícula se move para trás no tempo, ela aparece para o observador como algo totalmente oposto, avançando no tempo da maneira normal. Veja o caso do elétron, por exemplo. Ele tem uma carga negativa. Quando se move do passado para o futuro, da maneira normal, ele leva essa carga negativa para o futuro. Por outro lado, quando se move do futuro para o passado, ele leva a carga negativa do futuro para o passado, que é como uma carga *positiva* indo do passado para o futuro. De qualquer forma, ele estará tornando a carga geral do futuro mais positiva. Para o observador, é como se fosse um pósitron, ou antielétron.

"O que aconteceu com você teria parecido para o resto do mundo como um fóton não usual de alta energia liberando sua energia para criar uma Alice e uma *anti-Alice.* A anti-Alice se movimentaria até colidir com uma Alice e as duas se aniquilariam uma à outra, convertendo sua energia novamente em fótons."

"Como pode ser isso?" disse Alice espantada. "Não vejo como essa anti-Alice poderia encontrar outra Alice com quem colidir. Só há uma de mim e eu certamente não fui aniquilada", ela concluiu, desafiadora.

"Mas o que eu descrevi é o que pareceria para o *resto do mundo.* Para você, o que aconteceria é totalmente diferente. Para você, a aniquilação viria antes da criação, é claro."

"Não vejo nada de claro nisso", respondeu Alice rispidamente. "Como é que alguma coisa pode ser destruída *antes* de ser criada?"

"Essa é a ordem natural das coisas quando se está voltando no tempo. Normalmente, quando se está avançando no tempo, espera-se que a criação venha antes da destruição, não é mesmo?"

"Claro que é", respondeu Alice.

"Nesse caso, se você estiver *voltando* no tempo, você naturalmente espera que a criação venha depois da destruição. Afinal de contas, você está vivendo os acontecimentos na ordem inversa. Eu esperava que você percebesse isso sozinha.

"Você estava caminhando calmamente ao lado do Mecânico Quântico quando de repente colidiu com a anti-Alice. No ponto de vista do seu acompanhante, você e a anti-Alice foram ambas destruídas e a energia de sua massa foi levada embora por fótons altamente energizados."

"Meu Deus! Coitado do Mecânico", exclamou Alice. "Ele deve estar pensando que fui destruída, então! Como posso encontrá-lo para tranquilizá-lo?

"Eu não me preocuparia muito com isso", disse o Corretor, acalmando-a. "Com certeza o Mecânico conhece a aniquilação de antipartículas e saberá que você apenas voltou no tempo. Sem dúvida, ele está esperando esbarrar com você a qualquer hora, cedo ou tarde, dependendo de quanto para trás você foi. De qualquer forma, o processo de aniquilação converteu você em anti-Alice e você viajou para o passado até ser criada, junto com a Alice, por um fóton de alta energia. É isso que um observador teria visto. A impressão que você tem é de que parou de voltar no tempo e voltou a andar para a frente, normalmente. Você não teria visto o fóton que causou isso. Não poderia ver, porque ele deixou de existir no instante em que você inverteu sua travessia pelo tempo. Então, tanto como Alice quanto como anti-Alice, você estava em um futuro que o fóton nunca alcançou.

"Está vendo agora que, apesar de qualquer observador dizer que por algum tempo houve três de você, duas Alices e uma anti-Alice, na verdade todas elas eram *você*. Por você ter ido de volta no tempo, estava vivendo o mesmo período em que já tinha estado quando passeava com o Mecânico Quântico. Quando você voltou ao normal pelo processo de criação de pares, você viveu o mesmo período pela terceira vez, novamente avançando no tempo.

"Essa parte da sua vida foi como uma estrada ziguezagueando na encosta de uma montanha, subindo para leste e fazendo uma curva acentuada para oeste antes de voltar a subir para leste de novo. Se você subisse essa encosta na direção do norte, você poderia pensar que atravessou três estradas diferentes, quando na verdade atravessou três vezes a mesma estrada. É mais ou menos o que acontece com a produção de antipartículas. A antipartícula é uma parte da estrada que vai para o outro lado."

Nessa hora o capacete começou a fazer barulho de novo e uma luzinha verde acendeu no canto do visor. "Acho que o capacete está suficientemente carregado para outra demonstração", disse o Corretor. "Se prestar atenção desta vez, será capaz de ver os efeitos de segunda ordem."

Ele ajustou o capacete e mais uma vez a visão de Alice ficou embaçada...

A imagem ficou clara novamente e revelou que a paisagem estava toda unida por uma rede de linhas de fótons que a tudo permeava. Quando Alice olhava com atenção para uma região em particular, ela podia ver que alguns dos elos brilhantes se interrompiam. No meio de um reluzente cordão de fótons ela viu um tipo de volta, em que o fóton, no meio do caminho, se transformava em alguma coisa que ela reconhecia como um elétron e um pósitron, um antielétron. Os dois se juntavam de novo, quase imediatamente, para formar um cordão de fóton que ia se ligar a um elétron de verdade.

Olhando mais de perto, Alice viu outro fóton sair timidamente do elétron, na volta que o cordão dava. Perto do caminho desse fóton, ela viu o fraco contorno de outra volta elétron-pósitron. Dessa volta emergiam fótons ainda mais apagados e, se ela olhasse bem de perto mesmo, ela conseguia ver voltas pouco definidas de elétrons e pósitrons. Até onde ela conseguia ver, era possível distinguir fótons que criavam voltas fechadas de pósitrons e elétrons e elétrons ou pósitrons emitindo fótons que criavam mais pares elétron-pósitron. E assim continuava, numa profusão aparentemente infinita, mas tudo ia ficando cada vez menos definido a cada estágio de complexidade. Alice estava ficando tonta de forçar os olhos para tentar ver o fim daquela sequência. Finalmente, um fim se apresentou. Ela ouviu o chiado e o "clique" do capacete, e tudo sumiu da sua frente.

"Achei que você tivesse dito que os elétrons se juntavam por troca de *fótons*", disse ela num tom acusador. "Tenho certeza de que vi elétrons no meio das partículas virtuais. Muitos deles, na verdade."

"Certamente. O elétrons reais originais agem como as fontes do campo elétrico, apesar de ser mais correto dizer que são as cargas elétricas carregadas pelos elétrons que produzem o campo. Os fótons não se importam com nada além da carga elétrica, mas onde quer que haja uma carga dessas, sempre haverá uma nuvem de fótons virtuais em volta. Se outra partícula com carga se aproximar, esses fótons estarão disponíveis para serem trocados e produzir uma força entre as duas partículas. Partículas trocáveis devem ser criadas para poderem ser trocadas e destruídas posteriormente, ao serem capturadas. Sua quantidade obviamente não é constante. Por isso, elas têm de ser bósons.

"A relação entre fótons e cargas funciona dos dois jeitos. Assim como partículas com carga produzem fótons, fótons gostariam de criar partículas com carga, mas não podem produzir apenas uma partícula carregada, pois a carga elétrica total não pode ser alterada. Aí temos mais uma regra, e essa não permite incertezas. O que os fótons podem fazer, porém, é produzir um *elétron* e um *antielétron*, ou pósitron, ao mesmo tempo. Já que um tem carga negativa e o outro, positiva, a carga *total* no universo não foi alterada. Foi isso que você viu. Os fótons virtuais produzem pares virtuais de elétrons e pósitrons, que se anulam um ao outro e voltam a ser um fóton. Durante a breve vida dos dois, porém, já que são ambos partículas com carga, eles podem criar mais fótons, que podem, por sua vez, produzir mais pares de elétrons e pósitrons, e assim por diante."

"Puxa vida", disse Alice. "Parece muito complicado. Onde é que tudo acaba?"

Não só fótons podem ser criados, mas também partículas como elétrons, que precisam ser produzidos em companhia de suas antipartículas para que não haja alteração na carga elétrica total. É preciso energia para criar as massas de repouso de duas partículas como essas, mas a energia necessária pode estar disponível por um breve período como uma flutuação de energia. Tal flutuação pode ocorrer mesmo se não houver nenhuma energia presente a princípio, e as partículas podem ser criadas literalmente do nada. "Espaço vazio" é, na verdade, um caldo borbulhante de pares partícula-antipartícula.

"Não acaba. Continua assim para sempre e fica cada vez mais complicado. Mas a probabilidade de um elétron produzir um fóton, ou de um fóton produzir um par elétron-pósitron é bem pequena. Isso significa que as amplitudes mais complexas são mais fracas, sendo, às vezes, fracas demais para serem percebidas. Você deve ter visto isso."

A cabeça de Alice dava voltas enquanto ela tentava entender o que tinha observado e ouvido. "Só posso dizer que nunca vi nada parecido antes."

"É bem possível que tenha visto, sim", respondeu o Corretor. "O que você viu é apenas o Nada em qualquer lugar. Mas eu estou surpreso por saber que você já tinha visto Nada antes de chegar aqui."

"Eu não diria isso," respondeu Alice indignada. "Posso não ser muito viajada, mas conheço algumas coisas. Não se esqueça disso."

"Não duvido que seja mesmo", disse o Corretor. "Tenho certeza de que você veio de um lugar muito agradável, mas é relativamente fácil ver Alguma Coisa. Difícil mesmo é ver Nada. Não sei como você conseguiu ver Nada sem a ajuda do meu capacete de realidade virtual."

"Um momento", interrompeu Alice, que tinha começado a desconfiar de que algo estava confuso. "Será que você podia me dizer o que quer dizer com 'Nada'?"

"Certamente. Quero dizer Nada: a completa ausência de qualquer partícula real. Você sabe: o Vácuo, o Vazio, onde todas as coisas são esquecidas... seja lá o nome que você dá a isso."

Alice ficou pasma com a extensão desse conceito negativo. "E isso fica diferente com o uso do seu capacete? Eu achava que Nada parecia com nada, não importando como você olhasse."

"Claro que importa. O vácuo pode não ser a melhor vizinhança, mas há muitas atividades secretas. Venha que eu lhe mostrarei."

O Corretor começou a andar com um passo acelerado e Alice o seguiu através de seu escritório. Era cada vez mais difícil para ela acreditar que eles ainda estavam dentro de um escritório, ou um prédio, pois tudo parecia muito amplo. Andaram por algum tempo, com Alice brigando com o peso do capacete e do cabo, que ia se esticando atrás dela. "Tomara que esse fio seja bastante comprido", disse ela para si mesma. "Tenho certeza de que logo vou chegar ao fim dele."

As Mansões Periódicas, em que Alice tinha observado os estados dos elétrons, foram logo deixadas para trás, e eles ainda continuavam a andar. Justamente quando Alice estava prestes a implorar por uma parada para descansar, ela viu à sua frente uma coisa que parecia um lago ou a praia de um mar extremamente calmo. Quando chegaram perto, ela pôde ver que era um lago muito grande, isto é, se fosse mesmo um lago. Ele se estendia até sumir de vista, uma expansão aparentemente ilimitada. Mas, se fosse um mar, seria o mar mais estranho que ela já tinha visto. Tudo estava muito calmo, completamente parado a não ser por um tremor muito sutil, quase imperceptível, perto da superfície. Não era azul, nem verde, nem cor de vinho ou qualquer outra cor que Alice já tivesse ouvido ser usada para descrever a água. Era completamente sem cor. Era como uma noite clara, de céu aberto, mas sem as estrelas.

"O que é isso?", murmurou Alice, estupefata pelo vazio que via e que parecia lhe comer os olhos.

"Nada", respondeu o Corretor. "Isso é o Nada. É o Vácuo!"

"Vamos lá", ele continuou. "Deixe-me ligar o capacete, e você poderá ver a atividade dentro do Vácuo."

Ele estendeu a mão na direção do capacete e repetiu o que havia feito antes. A visão de Alice, sua visão do Nada, ficou difusa e...

Sua visão clareou e revelou uma cena muito semelhante à última que ela vira através do capacete. Novamente ela viu uma teia de fios brilhantes. Desta vez, porém, os fios não terminavam em elétrons reais, que antes pareciam estar presos na rede, mas que eram na verdade sua própria fonte. Agora não havia partículas reais presentes, apenas as virtuais. Fótons criavam pares de elétrons e pósitrons. Elétrons e pósitrons produziam mais fótons, assim como ela tinha visto antes. A rede, antes, originava-se dos elétrons reais, que eram sua fonte e sua âncora no mundo das partículas reais. Onde estava a fonte agora? Os pares de elétrons e pósitrons eram produzidos por fótons; os fótons eram produzidos pelos pares de elétrons e pósitrons, que eram produzidos pelos fótons. Alice tentou percorrer as linhas de partículas de trás para a frente, para ver se conseguia achar a fonte, mas percebeu que estava andando em círculos. Ela sentiu que devia ter perdido o fio da meada e estava tentando seguir as linhas com mais cuidado, quando ouviu o já conhecido ruído e o "clique" do capacete, e toda a cena desapareceu.

Alice novamente explicou ao Corretor o que tinha visto e disse que dessa vez ela tinha sido incapaz de decidir que partículas criavam outras partículas. "Não estou surpreso", respondeu o Corretor. "Todas elas se criam mutuamente. É como a história do ovo e da galinha. Todos estão nascendo e pondo ovos ao mesmo tempo."

"E como isso é possível?", perguntou Alice. "Tem de haver uma fonte. Eles não podem vir do nada."

"Não só podem como vieram", foi a resposta. "A única coisa que impede a produção de partículas e antipartículas é normalmente a necessidade de fornecer energia para as massas de repouso das partículas, e as partículas virtuais não são inibidas por isso. É tudo uma grande flutuação quântica."

"É de verdade, então?", perguntou Alice. "Todas essas partículas estão mesmo lá?"

"Estão, sim, e são bem reais, mesmo que não no sentido técnico de *partículas reais*. Elas são uma parte do mundo tão vital quanto qualquer outra. Acho que você já viu pelo capacete tudo aquilo de que precisava saber", disse ele, tirando o capacete da cabeça de Alice. "Não vamos precisar dele agora. Vou acionar o mecanismo de retração do cabo." Ele apertou um botão e o capacete começou a enrolar o cabo e foi puxado por ele, rolando na direção de onde Alice e o Corretor tinham vindo, como se fosse uma aranha mecânica, até sumir de vista.

Mesmo depois do capacete ter desaparecido, a cabeça de Alice estava cheia com as cenas maravilhosas que ela tinha visto, as quais ela remexia em silêncio enquanto caminhava ao lado do Corretor de Estados, ao longo da praia do Vácuo infinito.

Notas

1. No interior dos átomos, os estados permitidos para os elétrons têm níveis de energia muito espaçados, e são apenas esses níveis que os elétrons podem ocupar. Um elétron só pode se transferir de um desses estados se for para outro (vazio) e, ao fazer isso, sua energia sofre uma alteração de uma quantidade determinada, a diferença de energia entre os dois estados. Um átomo em seu estado normal, ou *fundamental*, tem seus níveis de energia mais baixos uniformemente preenchidos com elétrons, mas há níveis superiores que estão normalmente vazios. Quando um elétron é excitado para fora de sua posição

inicial, ele para em um desses níveis superiores vazios ou abandona inteiramente o átomo.

Um elétron que tenha sido excitado para um nível superior pode cair de volta para um nível de energia mais baixo se houver espaços vazios disponíveis. Quando o elétron é transferido para um nível de energia mais baixo, ele deve se livrar do excedente de energia, e faz isso emitindo um fóton. É assim que os átomos emitem luz. Porque todos os elétrons ocupam estados definidos dentro do átomo, qualquer fóton que seja emitido só pode ter uma quantidade de energia igual à diferença entre as energias contidas nos estados inicial e final do elétron. Isso abre um vasto leque de possibilidades, mas ainda assim impõe uma restrição sobre a energia que um fóton pode ter. A energia do fóton é proporcional à frequência e, por conseguinte, à sua cor. Por isso, o espectro da luz produzida por um átomo consiste em um conjunto de "linhas" de frequências específicas. O espectro de um determinado tipo de átomo é sempre característico dele.

A física clássica não tem explicação para esses espectros.

2. Partículas virtuais têm uma imprecisão, tanto no tempo quanto na energia. Essa imprecisão aparece como flutuações de energia, em que as partículas se comportam como se tivessem mais (ou menos) energia do que deviam. Outra manifestação dela aparece como uma incerteza no tempo. Em um sistema quântico, as partículas parecem ser capazes de estar em dois lugares ao mesmo tempo (ou, ao menos, têm amplitudes que estão).

   As partículas podem até inverter o tempo. O físico Richard Feynman explica as antipartículas como "partículas que andam para trás no tempo."* Isso explica a maneira como as propriedades das antipartículas são opostas às das partículas: uma carga elétrica negativa levada de volta no tempo equivale a uma carga positiva se deslocando em direção ao futuro. Em ambos os casos, a carga positiva do futuro está aumentando, e um elétron carregado negativamente indo em direção ao passado é visto como um pósitron carregado positivamente, que é sua antipartícula.

   Todas as partículas têm suas antipartículas, o que era de se esperar já que elas são, na prática, a mesma partícula se comportando de maneira diferente.

---

* Richard Feynman, *QED: A estranha teoria da luz e da matéria*, Lisboa, Gradiva.

Átomos no Vácuo 7

Alice andou com o Corretor ao longo da borda do Vácuo, observando a brilhante e tênue superfície que fervilhava continuamente com a atividade das partículas virtuais, que nasciam e morriam sem que ninguém se desse conta.

Um pouco afastada da praia, Alice percebeu uma perturbação na superfície, algum tipo de depressão circular na uniformidade da superfície. Mais além, ela conseguia ver outros buracos, e muitos deles estavam reunidos em grupos. Alguns grupos eram bem pequenos e continham às vezes só um par desses objetos circulares. Outros reuniam extensas coleções. Um dos grupos que ela viu era um anel, com seis dos objetos formando um círculo, enquanto outros se uniam em volta, do lado de fora. À distância, ela podia ver grandes grupos reunidos espalhados pela superfície. O maior continha muitas centenas dessas coisas circulares, seja lá o que fossem.

Durante sua observação, Alice notou que havia fótons se elevando e ascendendo, como se decolassem de uma ou outra das formas que estavam à sua frente. Os fótons, com suas cores brilhantes, pareciam sinalizadores lançados de navios.

O Corretor seguiu a direção do olhar dela. "Estou vendo você observar os átomos nadarem no Vácuo. De um jeito ou de outro, os átomos são responsáveis pela maior parte do nosso trabalho no negócio dos estados eletrônicos. Daqui é possível ver as muitas parcerias moleculares estabelecidas entre eles. Elas variam de pequenas empresas de dois átomos a vastos conglomerados orgânicos. Cada tipo diferente de átomo tem seu espectro de cores característico para os fótons que emite. Por isso, os fótons são como sinais que ajudam a identificar os diferentes tipos de átomos."

Ver nota 1 no final do Capítulo

"Fiquei pensando nessas coisas espalhadas por aí", Alice admitiu candidamente. "Não consigo vê-las muito claramente. É possível chegar mais perto?"

"Se você quiser olhar os átomos mais de perto, teremos de seguir até o Cais de Mendeleiev. Lá, você verá todo tipo de átomo à mostra, com todos os diversos elementos dispostos em ordem."

O Corretor levou Alice ao longo da praia até chegar a um píer extremamente longo e estreito, que se estendia para dentro do Vácuo. Ao lado dele, na praia, havia uma entrada em arco, em cima da qual lia-se o seguinte cartaz:

PÍER PERIÓDICO
propriedade de D.I. Mendeleiev.
Construído em 1869

"Aqui estamos," anunciou o Corretor. "É aqui que os átomos aportam antes de partirem para formar os diferentes compostos químicos. Normalmente o chamamos de 'Marina Mendeleiev' ou 'Píer Atômico', apesar de, às vezes, as pessoas o chamarem de 'Estaleiro do Universo'. Você encontrará todos os tipos de átomos representados aqui."

Juntos, eles passaram por baixo do cartaz e subiram na beirada do píer. Caminharam lentamente ao longo dos ancoradouros, enquanto Alice olhava a longa linha de átomos ancorados, em sequência, em um dos lados. Cada um deles parecia um buraco em forma de trompete na lisa superfície do Vácuo. Essa forma a fez lembrar daqueles pequenos rodamoinhos que se formam quando você esvazia uma pia ou uma banheira, apesar de, aqui, as formas não terem nenhuma rotação visível. A superfície lisa afundava para dentro do buraco e continuava imóvel à volta do buraco. Ela afundava com uma inclinação quase imperceptível a princípio, mas ia aumentando ao se aproximar do centro. Havia sinais de que alguma atividade acontecia nas profundezas do buraco.

"Por que esse buraco tão fundo?", Alice perguntou, curiosa. "Já que estamos olhando para o Nada, achei que seria plano e sem relevo."

"Isso é um poço de potencial", foi a resposta.

"Que tipo de poço é esse?", Alice continuou. "Conheço poços no jardim, de onde brota água, e poços de petróleo. Também me lembro vagamente de ter lido recentemente algo sobre poços de melaço, mas o que se tem em um poço de *potencial*?"

"A fonte do potencial, é claro. É preciso ter uma fonte para fornecer a água de um poço no jardim. Aqui, no poço de potencial, uma carga elétrica é a fonte de potencial elétrico. Você já deveria saber o que há no poço. Ele contém fótons virtuais. Eles fornecem a atração elétrica que faz a energia potencial de uma carga negativa ficar cada vez mais abaixo do nível do vácuo que a cerca, enquanto se move na direção da fonte potencial no centro de um átomo. É a fonte potencial que cria o poço, na verdade."

O primeiro poço era bem raso, mas Alice viu que os outros iam ficando sucessivamente mais profundos à medida em que se afastavam da praia. O píer sumia no horizonte à sua frente, com átomo atrás de átomo, todos aportados de um lado. Junto de cada um deles havia um pequeno cartaz marcando o ancoradouro. O primeiro dizia: ${}_{1}\mathrm{H}$; o segundo, ${}_{2}\mathrm{He}$; o terceiro, ${}_{3}\mathrm{Li}$. Cada posição tinha um cartaz diferente. “Todos esses átomos vão um dia sair daqui para se combinarem e formarem grupos como aqueles na superfície do Vácuo?”, Alice perguntou.

“A maioria deles vai, com certeza, mas há alguns que não, como esse aqui, por exemplo."

Eles pararam ao lado de um átomo cujo cartaz dizia: ${}_{10}\mathrm{Ne}$. “Esse é o átomo de um Gás Nobre. Eles são um grupo aristocrata, e isso significa que se recusam a participar de qualquer tipo de comércio. São muito reservados. Estão perfeitamente satisfeitos com a maneira que levam suas vidas e não querem se misturar com mais ninguém. Sempre viajam admiravelmente isolados. Você nunca os verá tomando parte de nenhum composto.”

Andaram um pouquinho mais e o Corretor explicou que, além dos recônditos átomos Nobres, havia uma considerável variação no entusiasmo com que os diferentes átomos se uniam aos compostos. “Este, por exemplo, é um particularmente ativo”, ele observou, quando os dois se aproximaram de um cartaz que dizia: ${}_{17}\mathrm{Cl}$.

Alice decidiu que era hora de examinar um desses átomos mais de perto, e estendeu um pé para fora do píer. Para seu deleite, ela não afundou. Seu pé ficou na superfície, causando uma leve depressão, como acontece quando alguns insetos deslizam sobre a superfície da água. Quando ela tentou andar na direção do átomo, porém, descobriu que não havia fricção no vácuo. A superfície era *extremamente* escorregadia, e ela não conseguiu ficar de pé. Com um pequeno grito, ela escorregou ladeira abaixo e caiu para dentro do poço.

Ao cair, Alice percebeu que tinha bastante tempo para olhar à sua volta. Os lados do poço iam ficando cada vez mais inclinados e se aproximavam dela. Alice logo percebeu que estava caindo através do contorno transparente de uma série de salas com pés-direitos muito baixos. As primeiras salas eram bem baixas mesmo, baixas demais até para uma casa de bonecas, mas quanto mais ela caía, as salas iam ficando gradualmente mais altas. No começo, estavam totalmente vazias e desertas mas, depois, ela viu uma sala que tinha uma grande mesa redonda, cercada de cadeiras. No chão, viu escrivaninhas e prateleiras, como se estivesse passando por um tipo de escritório.

O tempo passava e Alice ficava cada vez mais estupefata ao descobrir que continuava caindo, sem nenhum sinal de que iria chegar ao fundo. Caindo, caindo, caindo; será que essa queda nunca chegaria ao fim?

Alice gradualmente começou a perceber que sua queda *não* chegaria a um fim. Ela não tinha atingido o fundo do buraco, nem estava chegando mais para baixo. Ela estava flutuando sem apoio nenhum no centro do funil, no nível de uma das salas transparentes. Ela olhou em volta e percebeu que não estava sozinha. Perto dela estavam dois elétrons, imersos em intensa e agitada atividade. Em volta deles, ela pôde distinguir o leve contorno de um escritório pequeno e lotado. "Com

Os estados que os elétrons podem ocupar dentro de um átomo tendem a se agrupar em conjuntos de níveis, separados por intervalos significativos de energia. Se um átomo tem seu último nível ocupado completamente cheio, então qualquer elétron extra que for adicionado terá de ir para um estado de energia mais elevada. Ele terá usualmente, uma energia mais baixa do que teria se estivesse em seu estado atômico original. Átomos desse tipo, cujas camadas externas estão completamente cheias de elétrons, formam os gases nobres e não interagem quimicamente com nada na forma convencional.

licença", ela disse. "Será que poderiam parar por um momento e me dizer onde estou?"

"Não há espaço, não há espaço", eles responderam.

"Desculpe-me, mas não entendi", ela reclamou, sem achar sentido na resposta que tinha recebido.

Um átomo está contido pelo campo elétrico gerado pela carga positiva de seu núcleo. Essa carga produz um *poço de potencial* em volta do núcleo que, por sua vez define que estados estão disponíveis para receber elétrons. A seleção dos estados vagos é uma forma do efeito de interferência, semelhante à gama de notas que é possível tirar de um órgão acústico ou da corda de um violino. De um tubo de um órgão é possível obter apenas algumas notas, aquelas cujos comprimentos de onda se encaixam dentro do tubo. De maneira similar, os estados eletrônicos disponíveis se encaixam dentro do poço de potencial. Os estados disponíveis se reúnem em níveis de energia distintos. Qualquer outra função de onda que não corresponda a um desses estados é eliminada por interferência destrutiva.

"Não há espaço aqui para diminuirmos a atividade, muito menos para *parar*", eles responderam. "Como você sabe, quando a posição de uma partícula é restrita, a relação de Heisenberg faz com que seu momentum seja grande, e está tão apertado aqui dentro que não temos escolha a não ser continuar a nos movermos. Se tivéssemos tanto espaço quanto nos níveis superiores, poderíamos nos movimentar mais livremente, mas aqui é impossível. Este é o nível mais baixo e por isso espera-se que estejamos sempre muito ocupados."

"É mesmo?", perguntou Alice. "O que é que vocês fazem que é assim tão importante?"

"Nada de especial. Ninguém se interessa pelo *que* os elétrons do nível fundamental fazem, contanto que nos mantenhamos em movimento."

"Nesse caso, seria possível me dizer onde eu estou, *sem* parar de se mexer?", ela perguntou. "Pois não sei aonde cheguei. O que é que nos impede de continuar caindo para dentro do poço?"

"Você está no nível mais baixo de um átomo de cloro, como já dissemos. Aqui, nós estamos tão perto da fonte de potencial que há muito pouco espaço. Então, temos de nos mover rapidamente para manter nosso momentum alto. Isso significa que nossa energia cinética também é muito alta. Como você vê, nenhum de nós está em um estado particularmente virtual. Elétrons têm posições asseguradas nos átomos, com bastante garantia. A maioria dos átomos tem estado por aí há muito tempo e as flutuações da energia quântica são pequenas. Por isso, para nós, elétrons, a energia e o momentum estão relacionados adequadamente.

"Você provavelmente sabe que, quando um elétron ou qualquer outra coisa cai dentro de um potencial, ele perde energia potencial, que é convertida em energia cinética", ele continuou.

"É, me explicaram isso no Banco Heisenberg", Alice concordou.

"Aqui, neste poço de potencial, quanto mais próximo ao centro chegamos, menos espaço há, e por isso precisamos ter mais energia cinética. Se caíssemos ainda mais para perto do centro, precisaríamos de mais energia cinética do que podemos conseguir convertendo energia potencial, e por isso não é possível que caiamos mais ainda. Na verdade, paradoxalmente, nós não temos energia suficiente para continuar caindo e não podemos pegar energia emprestada na forma de flutuação quântica, pois precisaríamos dela por muito tempo.

"Só há dois estados neste nível e por isso só há lugar para dois elétrons, um no estado spin para cima e outro no estado spin para baixo. Existem mais estados disponíveis nos níveis mais altos, e por lá você vai encontrar mais elétrons. Os próximos dois níveis podem suportar até oito elétrons em cada nível. Em qualquer átomo os níveis mais baixos, aqueles com menos energia potencial, são os primeiros a ser preenchidos. O Princípio de Pauli só permite um elétron em cada estado. É por isso que, quando todos os estados de um determinado nível já têm um elétron, um elétron extra não tem outra escolha a não ser a ir para um nível mais elevado. Os níveis são ocupados a partir de baixo até que todos os elétrons estejam acomodados. O nível mais alto que contém quaisquer elétrons é chamado de nível de valência. É lá que moram os elétrons de valência, mesmo havendo bastante espaço vago lá em cima, no sótão. Os elétrons de valência tomam todas as decisões e controlam os compostos a que nosso átomo pode se unir. Se quiser saber como um átomo funciona, seria melhor se você fosse lá falar com eles."

Ver nota 2 no final do Capítulo

"E como faço para chegar lá?", ela perguntou.

"Bem, se você fosse um elétron, teria de esperar até ser excitada até um nível mais alto por um fóton que pudesse lhe dar a energia extra necessária. No seu caso, porém, acho que quem a levará lá será o Cabineiro da Escada."

"Você não quer dizer o cabineiro do elevador, o ascensorista?", perguntou Alice. "Eu já estive no elevador de uma grande loja de departamentos e lá tinha um cabineiro que levava as pessoas de andar em andar, mas eu nunca ouvi falar de uma escada que precisasse de um."

Ao olhar à sua volta, porém, Alice viu um tipo de escada com degraus muito separados uns dos outros. Ao lado dela, havia uma figura que mal podia distinguir. "Posso perguntar quem você é?", Alice perguntou, curiosa.

"Sou o Cabineiro da Escada. Não sou uma criatura material, apenas uma construção matemática. Meu trabalho é transformar um sistema, de um estado para outro mais baixo ou mais alto." Ele fez uma operação complicada que Alice não conseguiu entender mas que resultou em seu transporte, degrau por degrau, até o nível mais elevado.

Em um certo momento, Alice chegou ao nível em que tinha visto a grande mesa redonda. Esse nível continha mais elétrons do que o primeiro. Ela conseguiu contar oito ao todo, mas não foi fácil. Como todos os elétrons que ela tinha visto até aquele momento, eles se mexiam muito rapidamente. Muitos deles davam voltas na mesa, alguns em uma direção, alguns na direção contrária. Os outros claramente não estavam em rotação, mas ainda assim estavam se mexendo. Nenhum deles estava calmamente sentado nas cadeiras em volta da mesa, e sim pulando para cima e para baixo, enquanto outros subiam e desciam da mesa sem parar. Os elétrons nunca ficavam quietos apesar de, nesse nível, não estarem se movendo tão freneticamente quanto os outros do nível mais baixo.

"Oi, Alice", eles disseram, quando ela apareceu. "Venha e vamos lhe mostrar como funciona um confiável átomo de tamanho médio. A maneira com que a Corporação Cloro conduz os seus negócios é decidida por nós, os sete elétrons no nível de valência."

"Mas vocês são oito!", Alice protestou.

"Isso é porque entramos numa sociedade com o outro átomo, o Sindicato do Sódio, para formar uma molécula de cloreto de sódio. Trabalhando juntos, dessa forma, gostamos de pensar que somos o Sal da Terra. Um átomo funciona com muito mais harmonia quando todos os seus níveis que contêm elétrons estão completamente preenchidos. Sozinhos, temos apenas sete elétrons no nível de valência, e o Sódio só tem um, apesar de ter espaço para oito. Ambos só têm a ganhar se o elétron do nível de valência do Sódio vier sentar-se conosco no nosso nível de valência e completar nossa diretoria. É claro que isso significa que agora temos um elétron a mais, o que faz nossa carga ser negativa. O átomo de Sódio tem um elétron a menos do que o normal, o que faz com que sua carga seja positiva. A força elétrica entre essas cargas opostas é que mantém os dois átomos juntos. Isso é o que se conhece como *ligação iônica* entre átomos, uma das formas mais comuns de estrutura corporativa."

"Parece que há muita cooperação entre os dois lados", concordou Alice, com diplomacia. "Qual de vocês é o elétron que veio do átomo de sódio?", ela perguntou.

"Sou eu", gritaram todos ao mesmo tempo. Por um momento, todos fizeram silêncio e olharam-se entre si. "Não, é ele", disseram todos, em perfeito uníssono. Alice percebeu que não havia por que fazer perguntas que tentavam diferenciar elétrons idênticos.

"Eu queria saber por que vocês dizem que o átomo de sódio fica com a carga positiva quando perde um de seus elétrons", perguntou ela, achando essa questão mais conveniente. "Com certeza ele ainda tem alguns elétrons sobrando e esses elétrons devem ter carga negativa também."

"É verdade, todos nós, elétrons, temos a mesma carga negativa, pois somos idênticos. Normalmente, essa carga é equilibrada e neutralizada no átomo por uma quantidade idêntica de carga positiva armazenada no Núcleo. Átomos são normalmente neutros, sem que sua carga penda para um ou outro lado. Por isso, quando um átomo tem um elétron a mais do que o normal, ele estará negativamente carregado. A isso damos o nome de *íon negativo.* Se ele tiver um elétron a menos do que o normal, a carga positiva do núcleo predominará e o átomo se tornará um *íon positivo.*"

"Entendo", disse Alice, pensativa, "mas o que é esse núcleo de que estamos falando?"

"Todo átomo tem um", foi a resposta evasiva que ela recebeu, "mas é melhor que você não saiba muito sobre ele. É melhor mesmo!", completou, nervoso, o elétron.

A essa altura a conversa foi interrompida por um grito que veio de debaixo deles, passou através do nível de valência e, ao final, parou em algum lugar acima deles. Alice olhou para cima e viu que o grito tinha vindo de um elétron, que aparentemente tinha sido excitado por um fóton, saiu de sua posição em um nível mais baixo e, agora, parecia estar muito desconfortável, isolado em um dos níveis de energia mais alto. Ele ficou lá, vagando lentamente pela amplidão do nível até que acabou dando um grito curto e caiu para o nível logo abaixo. Quando isso aconteceu, um fóton saiu correndo do átomo, levando com ele a energia liberada pela queda. Alice observou com interesse que, enquanto o elétron ia caindo de nível, fótons iam sendo emitidos. Porque os níveis de energia mais baixos eram mais separados dos outros, cada queda era maior do que a anterior, e os fótons criados tinham cada vez mais energia, liberada pelas quedas sucessivas. Quanto maior a energia dos fótons, mais sua luz tendia para o lado azul do espectro.

Olhando para baixo, Alice viu que o espaço deixado no nível inferior pelo elétron que fora excitado tinha sido preenchido, e que um de seus companheiros no nível de valência não estava mais lá. Em pouco tempo, o elétron que vinha caindo dos níveis superiores chegou ao nível de valência e ocupou o espaço vago. O átomo havia voltado ao seu estado original. Dois elétrons tinham mudado de nível mas, como eles são idênticos, não fazia a menor diferença.

Ver nota 3 no final do Capítulo

"Você deve ter percebido as várias cores dos fótons que eu emiti", disse orgulhoso, um dos elétrons. Essa observação sugeria que era o elétron que havia despencado que estava falando agora, mas Alice já tinha experiência bastante com os efeitos da identidade dos elétrons para cair nessa armadilha. "É assim que os átomos emitem luz, sabia? É quando os elétrons caem de um nível para o outro. Todos aqueles fótons tinham quantidades de energia diferentes e, por isso, cores diferentes também, porque a distância entre os níveis são diferentes. Eles estão bem juntos no alto do poço, mas são cada vez mais espaçados enquanto se vai descendo. Esses espaços entre os níveis são diferentes em átomos de tipos diferentes; por isso, o conjunto de energias dos fótons é completamente distinto de um átomo para outro — tão característico quanto a impressão digital de uma pessoa."

Mal tinham os oito elétrons se acalmado, ou melhor, tinham se acalmado o máximo que podiam, pois estavam sempre num movimento frenético, houve um tremor que pareceu atravessar todo o átomo. "O que foi isso?", gritou Alice, espantada.

"Foi algum tipo de interação. Fomos separados do nosso sócio Sódio e estamos vagando pelo vácuo na forma de um íon negativo livre. Mas não se preocupe. Acho que não vamos ficar vagando sem destino por muito tempo. Logo estaremos de volta aos negócios se a Bolsa de Câmbio for favorável."

"Que Bolsa é essa?", ela perguntou. "Está se referindo à Bolsa de Valores? É isso que controla os negócios no meu mundo."

"No nosso caso, é a Bolsa de Câmbio de Elétrons. Todas as nossas atividades são governadas por interações eletrônicas de algum tipo. Por isso, é a troca de elétrons que é importante. Talvez você se interesse por uma visita à Bolsa de Câmbio?"

"Acho que sim", respondeu Alice. "Como chegamos lá? A viagem é muito longa?"

"Não muito. Na verdade, não é nem uma viagem. Por você estar em um átomo que interage, você já está lá, em um certo sentido. Você só precisa de uma representação diferente. É só uma questão de como olhar as coisas. Venha comigo."

Assim como o elétron havia dito, não parecia que eles estivessem indo a algum lugar. Mesmo assim, Alice se viu na companhia de um elétron no canto de uma ampla sala, cheia de elétrons amontoados em volta de uma grande mesa, no centro da sala. Para Alice, parecia uma daquelas mesas que ela tinha visto nos filmes antigos de guerra, onde os comandantes moviam peças que representavam aviões, ou navios, ou exércitos. Também nessa mesa havia grandes conjuntos de peças sendo movidos em diferentes grupos.

Ela olhou mais de perto para algumas dessas peças e viu que elas tinham os mesmos cartazes que os ancoradouros do Píer Periódico. Na verdade, olhando mais de perto ainda, ela já não tinha mais certeza de que fossem apenas peças. Pareciam mais versões miniaturas dos átomos que ela vira aportados ao longo da marina. "Talvez sejam os mesmos", ela pensou. "Talvez sejam os mesmos átomos que agora me parecem diferentes. Suponho que, em vez do Píer Periódico, esta seria a Tabela Periódica."

Em toda a volta da sala, as paredes tinham filas de telas em que Alice via colunas de números que mudavam enquanto os átomos eram movidos de um grupo para outro.

"Esses são os preços dos diferentes átomos?", Alice perguntou.

"Sim, de certa maneira. Esses números mostram a energia dos vários elétrons que participam das combinações químicas. Eles mostram *as energias de ligação* dos elétrons: a diferença entre a quantidade de energia que um elétron tem em um átomo e a que teria se estivesse livre, sendo essa última maior que a anterior. Quanto maior o valor mostrado, menor a energia potencial que o elétron tem, e mais estável e bem-sucedido será o composto que ele mantém unido. O trabalho aqui na Bolsa de Câmbio é fazer essas energias serem as maiores possíveis."

"E tudo isso é feito movendo os elétrons de um átomo para outro?", perguntou Alice, lembrando-se da explicação que tinha ouvido sobre a ligação iônica do Cloreto de Sódio.

"Não, nem sempre. Às vezes esse é o método mais eficaz e, nesse caso, a ligação será feita dessa forma. A Bolsa de Câmbio de Elétrons tem uma vantagem ao mover os elétrons porque os estados eletrônicos disponíveis dentro de um átomo estão arrumados em níveis, ou camadas, com grandes intervalos entre eles. A energia de ligação para o último elétron numa camada de um nível baixo é muito maior do que aquela para o primeiro elétron que deve ir para a camada imediatamente superior. Isso significa que há uma maneira fácil de melhorar o escore total de energia de um átomo que só tem um elétron na sua camada mais alta. Se esse elétron puder passar de seu esplêndido, porém extravagante, isolamento para uma camada inferior e quase completa de um outro átomo, quase certamente haverá um ganho final na energia de ligação.

"É também verdade que, quando um átomo tem apenas um espaço sobrando em sua camada ocupada mais externa, esse estado tem uma energia anormalmente baixa, e é provável que qualquer elétron transferido para lá produza uma melhoria no balanço de energia. Geralmente é verdade que os átomos com um elétron de mais ou de menos são os mais ativos — os que mais provavelmente participarão de transações e formarão compostos. Átomos com apenas dois elétrons num estado alto e aqueles com apenas dois espaços vagos em um estado mais baixo podem também tomar parte em transferências eletrônicas semelhantes, mas o ganho na energia de ligação para o segundo elétron é normalmente bem menor do que para o primeiro, e muito menos eficaz."

"E o que pode fazer um átomo se ele tiver vários elétrons na última camada?", Alice perguntou, como se esperassem isso dela.

"Um átomo assim precisa de um tipo diferente de ligação, um tipo conhecido como *ligação covalente.* Um átomo como o de carbono, por exemplo, tem quatro elétrons em sua camada externa. Isso significa que ele tem quatro elétrons sobrando para ter uma camada vazia e quatro elétrons faltando para ter uma camada

Se um átomo tem apenas um elétron em seu último nível, enquanto a outro átomo falta um elétron para completar um nível, ambos podem alcançar um total energético mais baixo transferindo o elétron isolado de um átomo para o nível de valência quase cheio do outro. Isso é química: os elétrons, em seus vários níveis de energia, mantêm os átomos unidos. Os detalhes da química podem, na prática, ficar muito complicados, mas o princípio é esse.

Um átomo contém o número de elétrons que for necessário para neutralizar a carga positiva do núcleo. Esses elétrons preenchem os estados de energia mais baixa, com um elétron em cada estado. Se um átomo tem apenas um espaço vago em seu nível ocupado mais elevado e um outro átomo tem um único elétron que precisou ser estimulado a um nível mais alto, a energia total pode ser reduzida com a transferência desse elétron para o espaço vago no outro átomo. Ambos os átomos terão uma carga não nula e a atração elétrica resultante os mantém unidos para que eles formem um composto químico.

completa. Ele está igualmente equilibrado para ganhar algo transferindo ou recebendo elétrons de outro átomo; portanto, em lugar de fazer isso, ele os *compartilha*. Se os elétrons de dois átomos estão em uma superposição de estados tal que lhes permita estar em qualquer um dos dois, a energia dos dois átomos pode ser reduzida, e isso serve para mantê-los unidos.

"A ligação iônica, em que um elétron é completamente transferido de um átomo para o outro, funciona apenas entre átomos bem diferentes, um que tenha um elétron a mais e outro que tenha um elétron a menos. A ligação covalente, por outro lado, pode funcionar quando ambos os átomos são do mesmo tipo. O mais notável exemplo é dado pela ligação covalente dos átomos de carbono, a base do vasto Conglomerado Orgânico." Alice percebeu o ar de respeito emanando dos manipuladores de elétrons que estavam em volta da mesa, quando o Orgânico foi mencionado.

"Um átomo de carbono tem quatro elétrons em seu nível mais externo, ou de valência. Se cada um desses elétrons se combinar com elétrons de outros átomos, todos os oito estados eletrônicos contribuem para a superposição, e a camada é preenchida completamente. Dessa forma, um átomo de carbono pode se ligar a até quatro outros átomos, que podem ser de carbono também. O átomo de carbono também pode compartilhar dois de seus elétrons com outro átomo de carbono, fazendo uma *ligação dupla*. Nesse caso, ele não se conectará a tantos átomos, mas a ligação será mais forte.

"A ligação iônica mais forte conecta só um átomo a outro, e por isso não produz moléculas muito grandes. Onde há dois elétrons a serem transferidos, as coisas podem ficar mais complexas. Mesmo assim, a situação não se compara com a do carbono, em que um átomo pode se conectar a quatro outros, e cada um desses pode se conectar a vários outros. Compostos de carbono podem formar moléculas enormes de grande complexidade, contendo centenas de átomos ao todo."

"Todos os diferentes tipos de átomo que vejo aqui podem formar compostos assim como você descreveu?", perguntou Alice.

"Sim, com exceção dos gases nobres. Os átomos dos gases nobres já têm seu nível de valência completo e por isso não têm nada a ganhar com a transferência de elétrons. Todo o resto forma compostos até certo grau, apesar de alguns serem mais ativos do que outros e alguns deles serem muito mais facilmente encontrados. O átomo de cloro que você visitou, por exemplo, é muito ativo. Ele forma compostos com o átomo mais simples de todos, o de hidrogênio, que usa apenas um elétron, e também com o maior elemento natural, o urânio. Esse, sim, é um grande estabelecimento. Ele emprega mais de cem elétrons, mas apenas aqueles no nível externo de valência realmente afetam seu comportamento químico. Ele é tão grande que tem havido rumores de que seu Núcleo seria instável", ele segredou.

"Quero saber mais sobre isso", Alice disse com firmeza. "Você mencionou o núcleo de novo. Por favor, me diga: o que é o núcleo?"

Todos os elétrons se olharam meio desconfortáveis e responderam com relutância. "O Núcleo é o mestre oculto do átomo. Nós, elétrons, conduzimos o negócio de formar compostos químicos, de emitir luz de um átomo etc., mas é o Núcleo que realmente controla o tipo de átomo em que estamos. É ele quem toma as decisões finais e estabelece o número de elétrons que podemos ter e os níveis disponíveis em que podemos colocá-los. O Núcleo abriga a família nuclear, o submundo secreto da Carga Organizada."

Espantados com esse ataque de sinceridade, os elétrons tentaram todos se esconder num canto da sala ou o mais longe possível sem ficarem muito localizados. Tarde demais, o estrago havia sido feito! Alice percebeu uma nova e ameaçadora presença que se aproximava.

Em meio aos agitados elétrons, havia agora uma grande forma, pairando sobre Alice e seus companheiros. Ela percebeu que era um fóton, mas muito mais energético do que qualquer um que ela já tinha visto antes. Como todos os fótons que ela vira, ele estava brilhando, mas de uma maneira especialmente sombria e

furtiva. Alice também percebeu uma coisa surpreendente para algo que era em si a essência da luz: esse fóton estava usando óculos muito escuros.

"É um fóton virtual pesado", tremeram os elétrons. "Muito, muito pesado e muito longe da sua camada de massa. É um dos capangas do Núcleo. Fótons como ele transmitem o controle elétrico do Núcleo a seus elétrons clientes."

"Eu soube que tem alguém aqui fazendo perguntas", disse o fóton, em tom ameaçador. "Os núcleons são o tipo de partículas que não gostam de saber que há perguntas sendo feitas por qualquer outra pessoa. Vou levar essa pessoa para fazer um pequeno passeio e encontrar um pessoal, ou melhor, umas partículas. Elas querem muito conhecê-la."

Isso não pareceu um começo muito promissor para um novo relacionamento, e Alice estava considerando se poderia recusar o convite com segurança. Ela nunca conseguiu entender, ao pensar nisso posteriormente, como foi que começaram o "passeio". Tudo de que conseguia se lembrar era que eles estavam correndo um do lado do outro e o fóton não parava de gritar "mais rápido" e Alice sentia que não podia ir mais rápido, apesar de não ter mais fôlego para dizer isso. Eles correram sobre o tampo da mesa e mergulharam em um dos átomos representados na superfície. Era um dos átomos de urânio, que cresceu quando eles foram ao seu encontro.

A parte mais curiosa de toda a experiência, depois que eles entraram no átomo, era que as coisas que os rodeavam nunca mudavam de posição. Por mais que os dois corressem eles não passavam à frente de nada. Alice notou que, ao seu redor, os elétrons e os contornos dos níveis que os continham pareciam estar ficando cada vez *maiores* enquanto corria.

"Está tudo crescendo mesmo ou eu estou encolhendo?", pensou a pobre Alice, toda confusa.

"Mais rápido!", gritou o fóton. "Mais rápido! Não tente falar."

Alice achou que nunca mais poderia falar, ela estava ficando completamente sem fôlego e o fóton continuava gritando "Mais rápido! Mais rápido!", puxando-a consigo.

"Estamos chegando lá?", Alice conseguiu finalmente perguntar.

"Chegando lá?", o fóton repetiu. "Nós já estamos aqui desde o começo e em nenhum outro lugar, mas não estamos suficientemente *localizados*, nem um pouco. Mais rápido!" Eles correram por algum tempo em silêncio, indo cada vez mas rápido enquanto a paisagem que os cercava ia inchando, se estendendo para cima e para os lados até tudo que ela tinha visto antes estar grande demais para ser observado.

"Agora, agora!", gritou o fóton. "Mais rápido, mais rápido! O seu momentum está agora quase tão grande para poder localizar você dentro do Núcleo." Eles estavam indo tão rápido que pareciam de desfazer no ar, até que, de repente, quando Alice estava ficando exausta, pararam em frente a uma torre alta e escura que se erguia suavemente, estreitando-se em direção ao topo. Era uma longa e escura torre, totalmente lisa nos andares inferiores mas, a uma determinada altura, no topo, Alice conseguiu ver que ela terminava numa confusão de pequenas torres, terraços e parapeitos. O efeito final, pensou Alice, era de uma atmosfera extremamente proibitiva.

"Aí está o Castelo Rutherford, o lar da Família Nuclear", disse o fóton virtual pesado.

Notas

1. Descobriu-se que os átomos contêm elétrons, negativos e leves. Mais tarde, descobriu-se também a existência dos núcleos, carregados positivamente. Isso sugeriu a possibilidade de que os átomos fossem versões em miniatura do sistema solar, com elétrons planetários girando em volta de um sol nuclear. A ideia deu margem a fantasias em que os elétrons eram, de fato, versões em miniatura dos planetas, com pessoas minúsculas morando neles, e daí em diante, *ad infinitum.* Infelizmente para tais fantasias, o esquema "sistema solar" está claramente errado.

   - O único motivo por que os planetas não caem diretamente para dentro do sol é porque estão orbitando em volta dele. Há provas definitivas de que muitos elétrons não têm qualquer rotação em torno do núcleo.

   - Segundo a física clássica, os elétrons que orbitam os núcleos deveriam irradiar energia, e seu movimento deveria diminuir e parar.

   Com algo pequeno como um átomo, isso aconteceria muito rapidamente, em menos de um milionésimo de segundo, e os átomos não colapsam dessa forma. (O sistema solar, pelo contrário, está perdendo movimento, mas muito vagarosamente, numa escala de milhões de anos.)

2. Por causa do Princípio de Pauli, só é possível ter um elétron em cada estado. Como os elétrons se apresentam em versões *spin para cima* e *spin para baixo*, na prática isso multiplica por dois o número de estados. Os elétrons entram nos estados atômicos porque, aí, têm energia mais baixa, e é regra geral que as coisas tendem a cair para níveis de energia mais baixa (como você pode descobrir segurando uma xícara sobre um chão de ladrilhos e soltando-a em seguida). Todo átomo tem um grande número de níveis que podem abrigar elétrons; na verdade, o número de estados é infinito, apesar de os mais altos

serem muito próximos uns dos outros em termos energéticos. Um átomo continuará a atrair elétrons para seus níveis até obter o número correto para compensar a carga positiva de seu núcleo. Depois disso, o átomo não tem mais carga positiva em excesso para continuar a atrair elétrons. Quando um átomo atingiu sua capacidade total de elétrons, na maioria dos casos ele contém mais elétrons do que cabem nos estados de baixa energia. Alguns elétrons devem, então, estar acomodados nos estados de energia mais alta.

3. Observando-se a luz emitida por átomos de um só tipo, descobriu-se que o espectro criado não era uma gama uniforme de cores, como um arco-íris, e sim um conjunto de linhas estreitas, cada uma de uma cor distinta. Todos os tipos de átomo criam esses *espectros de linha*, que eram um completo mistério para a física clássica.

O conjunto de níveis de energia para os elétrons é único para cada tipo de átomo. Quando os elétrons são transferidos de um nível para outro, eles emitem fótons que têm uma energia correspondente à diferença de energia entre os dois níveis. Porque a energia dos fótons é proporcional à frequência e à cor da luz, o espectro ótico dos átomos é tão distintivo como uma impressão digital.

A explicação para a existência de um espectro de linhas foi o primeiro grande sucesso no desenvolvimento da física quântica. A teoria explicou as frequências das linhas já observadas e previu outros espectros que ainda não tinham sido vistos. Esses foram posteriormente descobertos e ficou demonstrado que a teoria quântica não podia ser facilmente desprezada.

O Castelo Rutherford 8

Alice ficou olhando as sombrias alturas do Castelo Rutherford, que pairavam acima de sua cabeça. "De onde veio isso?", ela perguntou a seu acompanhante. "Como chegamos aqui, vindos do poço de potencial do átomo?"

"Preciso lhe dizer que em nenhum momento nós *estamos indo* a algum lugar. Permanecemos estritamente nas vizinhanças do átomo, mas estamos agora mais ou menos localizados em seu centro. Na verdade, mais do que mais ou menos. O que você vê na sua frente, é o fundo daquele mesmo poço de potencial. Não reconhece o mesmo objeto?"

"Não, certamente que não!", Alice respondeu com veemência. "O poço de potencial era um *poço*; era um buraco que descia. Isto é uma torre que sobe. Muito diferente."

"Não é tão diferente quando se para para pensar", respondeu o fóton. "O Núcleo gera um campo elétrico e esse mesmo Núcleo fornece uma energia potencial negativa para todos os elétrons negativos que estejam nas proximidades. Quando você está acompanhada por tipos como os elétrons, você naturalmente vê o potencial como um buraco que desce. Partículas nucleares como os prótons são partículas carregadas positivamente o tempo todo. Por isso, se por acaso eles forem chegando sem avisar, verão que sua energia potencial está aumentando à medida em que se aproximam do Núcleo. Isso faz com que eles mantenham uma boa e respeitosa distância, pois o campo elétrico funciona como uma barreira. É por esse motivo que ela se chama barreira de Coulomb. Os núcleons odeiam visitantes inesperados. Se você estiver metida com sujeitos do tipo deles, você verá o que eles veem, uma parede de potencial em volta do Núcleo."

"Como vou entrar, então?", perguntou Alice. "Não sei se vou conseguir passar por cima da parede. Tenho certeza de que ela vai ser bastante eficiente, fazendo com que eu mantenha uma respeitosa distância", disse, esperançosa. Ela não tinha certeza de que queria conhecer a Família Nuclear.

"A barreira de Coulomb está acionada apenas para manter longe aquelas partículas de carga positiva. Há outras que não têm carga nenhuma, e podem passar à vontade. Você não está carregada agora e por isso poderá passar pela

entrada de partículas neutras." Ele apontou para uma passagem alta, na parte de baixo da muralha do castelo, que Alice não tinha percebido ainda. Sobre ela estava escrito: "Apenas para Partículas Neutras".

No centro de todo átomo existe um minúsculo núcleo atômico. Esse núcleo contém a maior parte da massa de todo o átomo, apesar de seu diâmetro ser cerca de cem mil vezes menor. O núcleo tem uma carga positiva que atrai os elétrons carregados negativamente e mantém o átomo unido. Essa carga positiva, por outro lado, repele outras partículas carregadas positivamente e funciona como uma barreira em volta do núcleo, a *barreira de Coulomb*, protegendo-o de prótons e outros núcleos.

Alice e seu acompanhante se aproximaram e bateram com força na porta. "Como são as partículas nucleares?", Alice perguntou, cautelosa. "Elas são parecidas com os elétrons que nós conhecemos?"

"Todos dizem que elas são maiores do que qualquer elétron e têm quase duas mil vezes mais massa." A resposta não ajudou a diminuir o nervosismo que Alice sentiu ao ouvir passos lentos e pesados se aproximando pelo lado de dentro da porta. Os passos foram chegando cada vez mais perto, e ela chegou a sentir o chão tremer a cada passo. Finalmente eles pararam, e a porta começou a se abrir devagar. Alice olhou para cima nervosamente para ver pela primeira vez esse monstro que a tinha conclamado. A porta se abriu por inteiro e ela continuava sem ver nada. Será que os núcleons eram invisíveis?

"Aqui estou", disse uma voz irritada, vindo da altura dos joelhos de Alice. Assustada, ela olhou para baixo e viu uma figurinha de pé, bem na frente dela. Não era muito diferente dos elétrons que ela tinha visto antes, a não ser pela aura de poder em volta dele e pelos óculos escuros, como os que seu acompanhante usava. Mas, lembrando-se de quanto tinha encolhido em seu caminho até o Castelo Rutherford, Alice se deu conta de que essa figurinha era muito, mas muito menor do que os elétrons que ela tinha conhecido antes.

"Você não disse que os núcleons eram maiores do que os elétrons?", ela perguntou, virando-se indignada para encarar o fóton. Ela estava brava por ter sido enganada de tal forma.

"Bem, a maioria dos cidadãos bem informados concorda que eles são de fato maiores, e tenho certeza de que você não quer pôr minha palavra em dúvida por um motivo tão pequeno. É claro que os núcleons são muito mais pesados do que os elétrons e por isso tendem a ser muito mais localizados. Por serem duas mil vezes mais pesados, eles naturalmente têm duas mil vezes mais energia de massa de repouso, e é amplamente aceito que eles estão cerca de duas mil vezes mais localizados, mesmo quando têm a mesma energia de um cara do tipo elétron. Isso quer dizer que eles conseguem ocupar menos espaço e então podem *parecer* menores do que os elétrons, mas a opinião dos bem informados é que eles são maiores, na verdade.

"Em comparação com os cidadãos do Núcleo, os elétrons atômicos têm uma energia e um momentum muito baixos, e não são nem um pouco bem localizados. Eles formam consideráveis nuvens de elétrons que pairam pela vizinhança do núcleo e são realmente muito grandes. Elas se espalham por um volume centenas de milhares de vezes maior do que o do núcleo." Olhando em volta, Alice viu enormes nuvens cinzentas que os cercavam, nuvens que se espalhavam até onde a vista alcançava. Era estranho pensar que lá estavam os elétrons que ela tinha visto tantas vezes antes, mas agora do ponto de vista de uma escala muito mais compacta.

O nêutron que veio recebê-la (pois era isso que ele era) estava ficando impaciente. "Não fique aí parada, seja lá quem for", reclamou ele. "Chegue mais perto para que eu possa identificá-la."

"Então ele não consegue nos ver!", percebeu Alice. "Acho que ele é cego!"

"Todos os nêutrons são assim, como confirmará a maioria das pessoas", respondeu seu acompanhante. "Tipos como ele não têm quase nenhuma interação com fótons, não tendo nenhuma carga elétrica própria. Nêutrons são cidadãos que não têm interação de longo alcance, só se dispondo a interações de curtíssimo alcance. Partículas desse tipo não reconhecem outras até que estejam perto o bastante para tocá-las."

Eles se aproximaram do nêutron até esbarrarem nele. "Ah, aí está você!", ele disse. "Entre e deixe que eu fecho a porta. É muito mais agradável do lado de dentro." Ele ignorou o fóton, de quem ainda não havia se dado conta. Alice observou com interesse que o fóton simplesmente sumiu nas fortificações do castelo, que eram, afinal de contas, compostas por fótons virtuais emitidos pela carga do Núcleo.

Alice seguiu o nêutron para dentro do castelo, enquanto ele ia tateando por um corredor de pedra. A passagem parecia muito estreita, mas ia se alargando à medida em que eles iam se aproximando, criando espaço suficiente para eles passarem. Alice achou tudo isso muito assustador, mas nunca tinha certeza suficiente do que estava acontecendo para fazer qualquer comentário. Agora que ela o conhecia, o núcleon que ela estava seguindo não parecia tão ameaçador quanto a princípio. Impaciente, sim, mas *sinistro*, de jeito nenhum. Ele fazia Alice se lembrar de um tio distante que ela tinha.

Juntos, eles adentraram uma câmara central de pedra nua com teto abobadado. As paredes se erguiam abruptamente e sumiam nas sombras que vinham de cima. Em toda a volta da construção havia aberturas em arco, levando a vários níveis superiores, lembrando vagamente os níveis de energia dos elétrons que Alice tinha visto no átomo lá fora. Toda a área do térreo parecia estar coberta por partículas e Alice percebeu que, quando ela e seu acompanhante entraram, as pesadas paredes de pedra se afastaram um pouco para criar exatamente o espaço que faltava para acomodar os novos ocupantes.

Desta vez, ela tinha certeza do que tinha visto e fez um comentário sobre o movimento. "Isso é um efeito do campo autoconsistente do castelo", foi a resposta.

"Assim como os elétrons e todas as outras partículas, nós, núcleons, temos que ocupar estados quânticos, e os estados disponíveis aqui são controlados pelo poço de potencial local. No caso dos elétrons no átomo, o poço de potencial é fornecido por *nós*. Os estados eletrônicos são fixados pelo potencial elétrico e nós controlamos esse potencial. O átomo é nosso território e a energia potencial dos elétrons em seu interior é controlada pela distância entre eles e a carga elétrica positiva dos prótons no Núcleo central. Por meio do potencial elétrico produzido por essa carga, nós, no Núcleo, controlamos os estados dos elétrons, e os elétrons devem se adequar a esses estados da melhor maneira possível. Em nosso caso a situação é diferente. Nós mesmos fornecemos o potencial para nossos próprios estados nucleares."

"Se vocês fornecem o potencial em ambos os casos, isso com certeza faz com que os dois casos sejam o mesmo", protestou Alice.

"Não, isso faz dos dois casos coisas muito diferentes. Veja bem, no átomo, o potencial é fornecido principalmente pelo Núcleo, e é por isso que o Núcleo controla os estados apesar dos núcleons em si não fazerem uso deles. O potencial controla os estados que dão a distribuição de probabilidades para os elétrons, mas os elétrons que os utilizam têm pouco efeito sobre o potencial. O potencial atômico é mais ou menos o mesmo, não sendo muito afetado pela localização dos elétrons."

"Para o Núcleo, por outro lado, o potencial onde estamos agora é produzido pelo esforço coletivo de todos os núcleons presentes. Nosso sistema é bastante democrático para nós mesmos, apesar de governarmos os elétrons autoritariamente. Nosso potencial coletivo fixa os estados que estão disponíveis para que nós os ocupemos e, por isso, controla nossa distribuição de probabilidades. Essa distribuição subsequentemente controla o potencial, assim como eu disse no começo. É um ciclo vicioso, como se deve esperar da Família Nuclear, e você pode ver que os estados habitados por nós serão naturalmente alterados conforme muda a distribuição dos núcleons."

"A carga elétrica que produz o potencial nuclear é a mesma que a do potencial que segura os elétrons?", perguntou Alice, que achava que deveria entender isso com clareza.

"Não. Na verdade, é o oposto. A carga elétrica no núcleo está toda contida nos prótons. É bem possível que você veja uns prótons por ali." Ele acenou na direção de umas partículas que estavam próximas. Alice olhou e viu mais nêutrons, que eram iguaizinhos ao seu acompanhante. Espalhados entre eles havia umas partículas com aparência distintamente mais segura e firme. Enquanto o nêutron parecia ligeiramente irritável, esses pareciam mal conter a sua fúria. "Todos os prótons têm carga positiva, e partículas com a mesma carga repelem-se mutuamente. Prótons estão sempre perdendo a paciência uns com os outros e ameaçando ir embora e largar tudo. É muito difícil mantê-los unidos, disso eu tenho certeza."

"Os elétrons não têm o mesmo problema? Achei que deveriam. Se todos eles têm o mesmo tipo de carga negativa, quaisquer dois deles que se aproximassem um do outro deveriam ser repelidos."

"Isso é bem verdade; eles se repelem mutuamente. Contudo, você deve ter percebido que os elétrons estão relativamente espalhados e dispersos, e suas cargas estão bem separadas. Por isso, a repulsão entre eles é bem fraca. A força de atração da carga positiva concentrada no Núcleo consegue mantê-los em ordem. Os prótons no Núcleo estão espremidos uns contra os outros, e por isso a força de repulsão entre eles é muito grande. As forças elétricas ameaçam destruir o Núcleo.
Ver nota 1 no final do Capítulo

"Nesse caso, o que é que os mantém juntos?", perguntou Alice, com sensatez.

"Isso é o resultado de uma força completamente diferente, uma força forte — na verdade, ela é chamada de *a interação nuclear forte.*

"A interação nuclear forte é muito poderosa. Ela é capaz de superar a repulsão elétrica destrutiva do interior do núcleo, mesmo não causando efeitos óbvios do lado de fora. É uma força de *curto alcance.* Dentro do Núcleo, as forças nucleares são dominantes mas, do lado de fora, é quase impossível percebê-las. Tudo o que se vê é o campo elétrico gerado pelas cargas positivas dos prótons. Nós, os núcleons, nos agarramos aos nossos vizinhos próximos quando eles estão dentro do nosso

alcance, mas não estamos realmente conscientes dos outros, mais afastados e espalhados pela multidão, e temos muito pouco efeito sobre eles."

Desde que tinha entrado no salão central do castelo, Alice se sentia desconfortável. De repente, ela sentiu um arrepio e percebeu que havia algo naquele aposento que não estava ali antes. Ela olhou em volta e não viu nada. Ela então olhou para o teto. Mal conseguiu ver um lado enorme de alguma coisa arredondada que atravessou as sombras do espaço acima de sua cabeça. Obviamente, era uma parte de algum objeto muito maior, de aparência vaga e tênue como um fantasma e que atravessava as paredes como se elas não existissem.

Alice deixou transparecer o susto e teve que explicar o que estava vendo ao nêutron, que, é claro, não conseguia ver nada. "Ah, deve ser um elétron", ele disse. "Eles preenchem todo o volume do átomo, o que significa que passam através do núcleo ou de qualquer outra coisa. Os elétrons não são afetados pela interação forte, e por isso nem sabem que estamos aqui. O núcleo é uma pequena parte do volume ocupado por elétrons, por isso nós quase não os vemos por aqui. Na verdade, não os vemos nunca, mas você sabe o que quero dizer."

"Então a interação forte não é causada pelos fótons?", Alice perguntou. Tinham dito a ela que a troca de fótons é o que mantém os átomos unidos, mas ela tinha entendido que isso se dava pela interação entre as cargas elétricas, e deduziu que aquilo era algo completamente diferente.

"Você está certa, não tem nada a ver com fótons. A interação *é* causada por troca de partículas — assim como todas as interações — mas envolve um tipo diferente de partículas. A interação forte na verdade é causada pela troca de muitas partículas diferentes, sendo que a mais evidente delas é chamada píon. Os píons são bósons e não poderiam ser outra coisa, pois são criados e destruídos durante o processo de troca. Píons têm uma massa muito maior do que a dos fótons. Na verdade, fótons não têm massa nenhuma, o que torna sua criação bem barata, em termos de energia. A massa dos píons é cerca de trezentas vezes maior do que a de um elétron. Eles podem ser criados por meio de uma flutuação de energia, como permite a relação de Heisenberg, mas a flutuação precisa ser bem grande para fornecer a energia da massa de repouso do píon e, por isso, não dura muito. Com o tempo de que dispõem, os píons não conseguem se distanciar de sua fonte; portanto, só podem ser trocados por partículas que estejam próximas, quase se tocando, na verdade. A interação forte é, consequentemente, de alcance muito curto."

Nessa hora, iniciou-se um tumulto. Dois prótons tinham discutido violentamente e ameaçavam sair em disparada em direções opostas. Nêutrons acorreram para manter os dois opositores bem separados, diluindo a força da repulsão entre eles. Ao mesmo tempo em que os nêutrons se aglomeravam entre os prótons para deixá-los mais separados, também se agarravam firmemente a eles para mantê-los dentro do Núcleo.

"Está vendo como nós, nêutrons, somos necessários para manter o Núcleo unido? Especialmente os grandes núcleos", observou um dos nêutrons. "Dentro de um núcleo, todos os prótons se repelem mutuamente, não apenas aqueles que estão mais próximos, como é o caso com a interação forte. A repulsão acompanha a quantidade de prótons dentro do Núcleo. Isso significa que os núcleos pesados, que têm um grande número de prótons, precisam proporcionalmente de mais nêutrons para mantê-los bem separados uns dos outros e impedir que a força de repulsão ultrapasse a força de atração exercida por seus vizinhos.

"A Família dos Núcleons vem de dois clãs distintos, os prótons e os nêutrons. A linhagem exibida naquela parede mostra como eles se combinam." Ele indicou um grande diagrama pendurado na parede, entre vários outros símbolos e motivos decorativos de heráldica. O diagrama mostrava um imenso e fantasioso desenho de um próton e um nêutron em seus cantos superiores. Mais para baixo e ao centro, estavam listados todos os diferentes núcleos em que a Família estava envolvida. Alice percebeu que eles estavam identificados com os mesmos dizeres que ela tinha visto identificando os diferentes átomos na Marina Mendeleiev. Examinando melhor, ela viu que estas marcações eram ligeiramente diferentes: havia mais um número atribuído a cada um deles. Os núcleos estavam marcados como ${}_1H^1$, ${}_2He^4$, ${}_3Li^7$ e assim por diante.

Do próton e do nêutron originais, no topo do diagrama, linhas foram desenhadas ligando-os aos vários núcleos listados. Havia uma linha do próton para o núcleo ${}_1H^1$, e nenhuma linha ligando este ao nêutron. Para o núcleo ${}_2He^4$ havia duas linhas vindo do próton e duas vindo do nêutron. Daí em diante, muitos núcleos tinham quase a mesma quantidade de linhas vindas do próton e do nêutron. Olhando em direção à parte de baixo do desenho, Alice viu que cada núcleo descrito tinha muito mais linhas vindas do nêutron do que do próton.

"Este diagrama mostra como os diferentes núcleos são ocupados pelos dois clãs de núcleons distintos. O primeiro número lhe diz a quantidade de prótons envolvidos. Esse número é também a quantidade de elétrons, que podem ser controlados e, assim, decidem o comportamento químico do átomo. O segundo número dá o total de núcleons que habitam um determinado núcleo.

"Núcleos mais leves têm o mesmo número de prótons e nêutrons. Um átomo de carbono, por exemplo, possui seis prótons e seis nêutrons. A repulsão produzida por seis prótons, cada um deles repelido por todos os outros cinco prótons, ainda não é grande o bastante para superar a atração causada pela interação forte. Por outro lado, aqui em nosso Núcleo de urânio, nós temos 92 prótons. A força de repulsão entre todos os diferentes pares de prótons é muito grande, por isso precisamos de um número relativamente grande de nêutrons para manter os prótons separados e diluir sua repulsão elétrica. Em nosso núcleo temos ao todo 143 nêutrons. O número de nêutrons não precisa ser exatamente o mesmo em todo núcleo de urânio. Para cada elemento, o número de prótons é sempre o mesmo, já que é isso que estabelece o número de elétrons e o comportamento químico do átomo, mas o número de nêutrons não tem muita influência na química do átomo e pode variar ligeiramente de um núcleo para outro. Núcleos de um elemento com diferentes quantidades de nêutrons são chamados de *isótopos*. Nós temos 143 nêutrons neste núcleo, como eu já disse, mas muitos núcleos de urânio têm 146, o que os torna um pouco mais estáveis."

"Já ouvi falar de estabilidade antes", disse Alice. "Eu achava que átomos eram totalmente invariáveis e que, apesar de participarem de diferentes compostos, os átomos em si durassem para sempre."

"Não é bem assim. As paredes da barreira nuclear potencial servem para nos manter no lado de dentro, assim como a barreira de Coulomb mantém outros prótons fora. De vez em quando, porém, há penetração, e o Núcleo sofre alguma alteração. Funciona dos dois jeitos; partículas de fora do Núcleo podem querer entrar, ou um dos nossos pode querer fugir.

"A razão pela qual prótons e nêutrons permanecem no Núcleo é a mesma que mantém os elétrons no átomo: é porque eles precisam de menos energia onde estão, do que se estivessem do lado de fora. A diferença no valor de energia que eles teriam se estivessem fora do Núcleo é chamada de *energia de ligação* nuclear. Existem níveis de energia para núcleons dentro do Núcleo, assim como existem níveis para os elétrons dentro do átomo e, porque nêutrons não são idênticos a prótons, esses níveis podem ser ocupados por nêutrons e prótons independentemente. Sendo o processo de preenchimento de níveis o mesmo para nêutrons e prótons, núcleos estáveis tendem a ter quantidades iguais das duas partículas. Para núcleos mais pesados, com um número maior de prótons, a proporção de nêutrons é maior, como eu já expliquei. Para todos os núcleos há uma razão entre prótons e nêutrons que resulta no átomo mais estável. Um excesso de qualquer um dos dois tipos criará uma tendência à instabilidade e a algum tipo de decaimento. Sou forçado a admitir que, no urânio, a repulsão entre os prótons é tão grande que o Núcleo mal consegue manter sua estabilidade no melhor dos casos. Qualquer quebra no equilíbrio entre prótons e nêutrons poderia ser desastrosa."

De repente, uma sirene soou e uma voz estridente ecoou pelo salão. "Alerta, alerta! Código Alfa. Há uma tentativa de fuga em andamento."

Alice olhou em volta para ver se descobria a causa de tanto alarme. Tudo parecia como antes. Havia um movimento considerável entre os núcleons reunidos, mas eles, assim como outras partículas que ela tinha conhecido, estavam sempre agitados, e isso não era nenhuma novidade. Olhando com atenção, ela percebeu que um pequeno grupo de partículas, dois prótons e dois nêutrons, estava andando no meio da multidão, e que eles se agarravam firmemente uns aos outros. Eles corriam em direção à parede, se chocavam contra ela e depois corriam em direção oposta para colidir com a outra parede. Alice lembrou da pessoa que ela tinha visto tentando atravessar a porta trancada, logo que chegou ao País do Quantum.

Em núcleos maiores, onde há muitos núcleons, a repulsão entre os prótons se torna proporcionalmente mais forte e o núcleo pode se tornar *instável*. Eles podem sofrer um *decaimento radioativo*, em que o núcleo emite uma partícula , um aglomerado em que se espremem dois nêutrons e dois prótons que conseguem atravessar a barreira de Coulomb. Os nêutrons também sofrem decaimento β (beta), em que um elétron é criado dentro do núcleo e imediatamente escapa, porque os elétrons não são afetados pela interação forte. Núcleos também podem emitir raios γ (gama), que são apenas fótons de alta energia.

Comentou sobre isso com seu acompanhante, e ele respondeu: "O que você está descrevendo é o agrupamento que forma uma partícula alfa. Uma partícula alfa é um grupo de dois prótons e dois nêutrons que se unem tão firmemente, que se comportam como se fosse um só partícula. Por conter dois prótons, a partícula alfa é repelida pela carga positiva total dos prótons e agora está tentando escapar, mas é impedida pela parede que cerca o núcleo. Eles estão tentando fazer um *túnel* para o lado de fora. Estão tentando fugir através da penetração de barreiras. Mais cedo ou mais tarde vão conseguir, é claro."

"Quanto tempo deve levar até que consigam?", perguntou Alice, curiosa.

"Alguns milhares de anos, eu diria."

"Não acha que é um pouco precipitado soar o alarme agora?", questionou Alice. "Me parece que há tempo bastante para lidar com essa fuga sem precisar entrar em pânico."

"Mas nós não podemos contar com isso. *Provavelmente* eles levarão milhares de anos para escapar, mas *é possível* que consigam sair a qualquer momento. Não há como ter certeza, é tudo uma questão de probabilidade."

"Então, todos que fogem do Núcleo utilizam a penetração de barreiras?", Alice perguntou.

"Não todos. A emissão alfa é por penetração de barreiras, como eu acabei de dizer. Mas nós também temos emissões beta e gama, e nenhuma dessas duas exige penetração de barreiras."

"E como é que fazem então?", perguntou Alice com empenho. Ela achava que iam acabar lhe dizendo, quisesse ela ou não, mas pareceu-lhe mais educado perguntar.

"Emissão gama é emissão de fótons, assim como aquela obtida dos elétrons em um átomo. Quando um elétron é excitado para um estado mais elevado e depois cai para um estado inferior, ele emite um fóton que transporta a energia liberada. A mesma coisa acontece quando uma excitação do núcleo rearruma os prótons carregados: um fóton é emitido quando o núcleo retorna ao estado de energia mais baixa. Devido ao fato das energias de interação no núcleo serem bem maiores do que no resto do átomo, os fótons gama têm muito mais energia do que os fótons emitidos pelos elétrons atômicos. Na verdade, eles têm uma energia centenas de milhares de vezes maior, mas continuam sendo fótons.

"Emissão beta é a emissão de um elétron de dentro do Núcleo", seu informante continuou.

"Pensei ter ouvido você dizer que não havia elétrons dentro do Núcleo", protestou Alice. "Você disse que os elétrons não eram afetados pela interação forte e que só passavam por aqui de vez em quando."

"Pois é verdade. Não há elétrons no Núcleo."

"Se o Núcleo não pode conter elétrons e não há elétrons lá", disse Alice com paciência, "como é que pode um elétron sair do Núcleo? Não faz sentido. Ele não pode sair a não ser que esteja lá dentro."

"É justamente porque o Núcleo não pode conter elétrons que eles *escapam* de lá tão rapidamente. Os elétrons são produzidos bem no interior do Núcleo numa interação fraca, e, como o Núcleo não pode contê-los, é claro que eles escapam imediatamente. É bem simples quando você pára para pensar", disse o nêutron docemente.

"Pode até ser", disse Alice, que achava que não estava *nada* claro ainda, "mas o que é uma interação fraca? Como é que os elétrons...?"

Novamente uma sirene soou e um arauto em algum lugar no alto do salão gritou: "Atenção, todos. O Castelo está sendo atacado! Fomos cercados por um plasma quente de partículas carregadas."

"Oh, céus!", gritou Alice. "Isso parece sério."

"Não, não de verdade", respondeu, tranquilizador, um nêutron que estava por perto. "É pouco provável que alguma das partículas carregadas no plasma tenha energia suficiente para atravessar nossas defesas. Venha ver."

Ele levou Alice através de várias galerias e níveis de energia no interior do Castelo, até chegarem a uma posição de onde Alice conseguiu ver o lado de fora. Ela viu outros castelos nucleares ao longe e, espalhados pela planície, havia prótons se movendo com velocidade. "Aqueles prótons são de um plasma quente de hidrogênio", disse o novo acompanhante de Alice. "Em um plasma, os átomos perdem alguns de seus elétrons e se tornam íons positivos com carga positiva. O núcleo de hidrogênio contém um único próton. Por isso, quando um átomo de hidrogênio perde seu elétron, não sobra nada além de um próton. Os plasmas podem ser bem quentes, e então os prótons se movimentam com muita energia, mas não o bastante para conseguir entrar aqui", arrematou.

Alice observou alguns prótons correndo em direção a um núcleo e começando a escalar a base curvada de uma de duas paredes. Quanto mais eles subiam, mais devagar se movimentavam, pois iam gradativamente perdendo sua energia cinética até parar de repente, ainda no começo da subida. A partir dali, eles escorregavam de volta e partiam em uma direção diferente daquela de onde tinham vindo.

"Você está vendo — mesmo que eu não consiga ver — que eles não estão tendo sucesso nessas tentativas de chegar ao lado de dentro", o guia de Alice continuou.

"Eles não podem tentar a penetração de barreiras?", Alice perguntou.

"Podem. Na verdade, poderiam *em princípio*, mas eles passam tão pouco tempo perto do Núcleo que é muito improvável."

Nessa hora Alice percebeu uma movimentação ao longe. Algo se aproximava com uma velocidade surpreendente. "O que está vindo ali?", ela perguntou, bastante ansiosa.

"Não tenho a menor ideia", respondeu o nêutron. "Tem alguma coisa vindo aí?"

Alice percebeu que o nêutron naturalmente não saberia que uma partícula carregada rápida se aproximava a galope, deixando rastros de fótons virtuais quase invisíveis por onde passava como um tornado. Enquanto Alice descrevia sua aparência para o nêutron, o visitante chegou a um Castelo que encontrou no seu caminho. Quase sem diminuir a velocidade de sua louca investida, ele subiu pelas paredes e passou pelo topo. Um segundo depois, Alice o viu desaparecer no horizonte, sem ter sido aparentemente afetado pelo encontro. O mesmo não poderia ser dito do Núcleo onde ele entrou, que estava completamente despedaçado. Grandes porções suas voavam em diferentes direções. Alice acabou de descrever o acontecimento.

"Ah, esse foi um Raio Cósmico. Vez ou outra, vemos um deles passar por aqui. Eles vêm de algum lugar de fora do nosso mundo e têm uma energia enorme. Para eles, a energia necessária para atravessar a barreira de Coulomb de um Núcleo não é quase nada, e ele não encontra resistência alguma. Não temos defesa alguma contra eles, mas, felizmente, eles são muito raros, como eu já disse."

Olhando para baixo, para o lado de fora, Alice distinguiu umas figuras ariscas se movimentando lenta e disfarçadamente. "Veja só!", ela gritou, esquecendo-se de quem era seu acompanhante. "Tem uns nêutrons andando lá fora."

"O quê?", perguntou o nêutron ao seu lado. "Tem certeza? Isso é sério. Venha, devemos ir ao salão principal imediatamente."

Ele levou Alice de volta, através dos sucessivos níveis de energia, para o salão por onde ela havia entrado, ignorando seus protestos de que não havia muitos nêutrons do lado de fora e de que eles não tinham muita energia, na verdade.

Assim que chegaram, um nêutron invasor, sem nenhum aviso, atravessou a parede e aterrissou bem no meio do salão, em cima de todas as outras partículas. Este não era um dos habitantes normais do Núcleo, mas um dos nêutrons estrangeiros, vindo do lado de fora. Alice se lembrou que o fóton virtual tinha dito a ela que a barreira de Coulomb não tinha efeito nenhum sobre as partículas neutras, e que foi por isso que ela pôde atravessar a barreira sem a menor dificuldade. Da mesma forma, esse nêutron havia entrado sem ter sido convidado.

Houve uma comoção e um pânico imediato entre os núcleons. Eles corriam para lá e para cá em extrema confusão, saindo de uma galeria para outra, gritando que a estabilidade do núcleo tinha sido totalmente comprometida pela adição desse nêutron extra. Enquanto eles corriam de um lado para outro, Alice notou assustada que o salão inteiro estava tremendo violentamente em solidariedade. As pesadas paredes de pedra estavam vibrando como uma tremulante gota d'água. Numa hora, o salão estava quadrado e compacto e em seguida se esticava, ficando longo e estreito. Uma passagem apertada se formou próximo ao lugar onde Alice estava, e o salão quase se dividiu em dois. As paredes oscilavam para frente e para trás e cada vez mais o salão se estreitava na metade. O salão se esticou pela última vez. Alice viu duas paredes se afastarem em direções opostas, enquanto as outras duas se aproximaram como se fossem esmagar a ela e às partículas que estavam por perto. Das vezes anteriores, esse movimento parava e se invertia antes que a passagem se fechasse, mas dessa vez as paredes foram uma de encontro à outra, bem onde Alice estava junto com uns poucos nêutrons.

O potencial elétrico do núcleo gera a barreira de Coulomb que repele as partículas carregadas positivamente. Prótons de baixa energia são incapazes de passar por cima desta barreira. Em princípio, eles podem passar *através* dela por penetração de barreiras, mas a probabilidade disso acontecer é baixa, pois eles estão apenas de passagem, e sua interação com o núcleo é efêmera. Algumas partículas na radiação cósmica têm energia suficiente para ultrapassar a barreira e atravessá-la, transferindo para o núcleo energia bastante para despedaçá-lo totalmente durante sua passagem.

Nêutrons não têm carga elétrica. Para eles, a barreira não existe. Um nêutron que venha a colidir com um núcleo pode passar direto.

Quando as paredes passaram através dela, Alice se viu de volta à planície do lado de fora do Castelo. Ela olhou para trás e viu que a torre alta e sombria tinha sido dividida ao meio por uma rachadura. Ela viu o Castelo se dividir em duas torres, uma para cada lado. Cada uma delas estava se agitando violentamente, suas superfícies vibrando como um saco cheio de gelatina. Fótons de alta energia decolavam dos dois castelos como fantásticos fogos de artifício, enquanto ambos se desfaziam da energia excedente. Gradualmente a vibração diminuiu, e as duas formas irregulares adquiriram a mesma forma anterior que ela tinha visto a princípio. Duas réplicas menores do Castelo Rutherford estavam agora à sua frente. Mas elas não ficaram no mesmo lugar. As duas torres começaram a deslizar rapidamente uma para longe da outra, repelidas pela carga positiva que antes era compartilhada entre elas.

"Ainda bem que acabou. Eu estava ficando assustada", Alice admitiu para si mesma. Examinando a paisagem a sua volta, ela avistou alguns nêutrons que tinham sido expelidos do Castelo junto com ela na hora da divisão. Eles estavam dispersos pela planície, correndo em direções aleatórias. Um deles chegou por acaso à forma distante de outro castelo nuclear e logo sumiu através da parede.

Por um curto espaço de tempo, nada aconteceu. Depois, Alice viu que esse castelo também começou a tremer. O tremor foi aumentando até que, de repente, o castelo se partiu ao meio. "Oh, não!", gritou Alice ao perceber que as duas metades se afastavam, espalhando fótons energizados. Quase sem ser visto, um novo grupo de nêutrons saiu correndo da cena da catástrofe.

Antes que se passasse muito tempo, uns poucos nêutrons, que agora vagavam sem destino pela planície, esbarraram e entraram em outro núcleo, também por acaso. Novamente o processo se repetiu, resultando em mais uma divisão de núcleos, com mais fótons gama sendo expelidos, e ainda mais nêutrons sendo ejetados, para vagar novamente em confusão. E, assim por diante, o processo ia se repetindo. Logo havia quatro núcleos sofrendo a separação e, depois, dez, vinte, cinquenta. Ao seu redor, Alice só via castelos nucleares se desfazendo em fissões flamejantes, enquanto, acima de sua cabeça, a paisagem se incendiava com a intensa e ardente radiação dos fótons de alta energia.

"Que horror!", gritou Alice, apavorada. "O que pode estar acontecendo?"

"Não se preocupe, Alice", disse uma voz calma ao lado dela. "É só uma fissão nuclear induzida. Uma reação em cadeia, entende? Não é nada com que você deva se preocupar. É só porque você está bem no meio do que, no seu mundo, chamam de explosão nuclear."

Alice olhou em volta até avistar o rosto calmo do Mecânico Quântico. "Não precisa se preocupar", ele repetiu. "As energias envolvidas numa reação de fissão são menores do que as que você encontrou no interior do Núcleo. O único

Alguns núcleos podem vir a se dividir em dois núcleos menores e mais estáveis, em um processo conhecido como *fissão nuclear*. Isso pode ser causado pela adição de um nêutron extra, que não é mantido do lado de fora pela barreira de Coulomb e é a "gota d'água" para um núcleo já instável. A fissão pode liberar vários outros nêutrons, criando uma *reação em cadeia*.

problema é que elas não estão mais confinadas no Núcleo. Estive procurando por você", ele continuou, ainda calmamente, "pois devo lhe entregar este convite."

Ele entregou a Alice um convite formal e todo adornado com relevos. "É um convite para o Baile de *Massa*carados das Partículas, uma festa realizada para todas as partículas elementares", ele disse.

Notas

1. Quase tudo no mundo físico pode ser interpretado como um resultado da interação elétrica entre elétrons e fótons, virtuais ou não. As propriedades dos sólidos, dos átomos individuais e dos comportamentos químicos que advêm da interação entre átomos podem ser todos reduzidos à interação entre elétrons. Assim como os elétrons que interagem com o resto do mundo, há, no interior do átomo, um núcleo de carga positiva. O núcleo não se mantém unido por causa de forças elétricas, é o oposto, na verdade.

   O núcleo atômico contém nêutrons, que não têm carga elétrica, e prótons, que são carregados positivamente. Dentro do pequeno espaço do núcleo, cujo diâmetro é normalmente cem mil vezes menor do que o tamanho do átomo inteiro, a força de repulsão entre os prótons é enorme. Essa força elétrica tende a despedaçar o núcleo e, por isso, deve haver uma força maior que mantenha o núcleo coeso. Uma força que, por alguma razão, não aparece em mais nenhum lugar. Tal força existe, e é chamada de *interação nuclear forte*. Apesar de ser forte, tem alcance muito limitado e sua influência não é claramente percebida no lado de fora do núcleo. A interação forte é produzida pela troca de partículas virtuais, assim como a interação elétrica é produzida pela troca de fótons. Fótons não têm massa de repouso, mas as partículas intercambiadas na interação forte são relativamente pesadas. Elas precisam adquirir sua energia de repouso através de uma flutuação quântica particularmente grande, o que só é possível por um curto intervalo de tempo. Tais partículas virtuais pesadas têm vida muito curta e são incapazes de se afastar muito de sua fonte. Consequentemente, a interação que produzem é de curto alcance.

O Baile de *Massa*carados das Partículas 9

Com o convite na mão, Alice subiu os largos degraus de pedra que levavam a uma grande porta polida. Ela não conseguia se lembrar de como tinha chegado ali, apesar de se lembrar de ter recebido o convite. "Espero que seja este o lugar do Baile de *Massa*carados, seja lá o que isso for", ela disse a si mesma, tentando se encorajar. "Eu sempre termino nos lugares onde as pessoas querem que eu vá."

Ela parou na frente da porta e a examinou. A tinta que a cobria era bem acabada e brilhante, num tom vermelho-escuro. A maçaneta era de latão reluzente, assim como a aldrava, que tinha a forma de um rosto grotesco. A porta estava fechada e trancada. Através da fechadura, vinha uma alegre luz de velas e o som da música alta que tocavam no lado de dentro.

Como entrar? A resposta parecia bastante óbvia, então ela pegou a aldrava e bateu com força.

"Ai! Será possível?", exclamou uma voz aflita ao alcance de sua mão. Literalmente na mão dela. Alice olhou surpresa para a porta e encontrou o olhar furioso da aldrava irada.

"Isso é o meu nariz!", ela gritou, indignada. "O que é que você quer?"

"Sinto muitíssimo", disse Alice, "mas pensei que, por você *ser* uma aldrava, eu poderia usá-la para bater na porta. Como vou entrar se não bater na porta?", ela perguntou, chorosa.

"Não adianta bater", disse a aldrava, irritadiça. "Estão fazendo tanto barulho lá dentro, que ninguém ia conseguir ouvir você." E realmente havia um barulho enorme no lado de dentro: ruídos de conversa, uma voz falando mais alto do que as outras, mais ainda não muito definida para quem estava do outro lado da porta e, acima de tudo, a música.

"E como vou poder entrar, então?", perguntou ela, frustrada.

"E você deve entrar?", perguntou a aldrava. "Essa, na verdade, é a primeira questão."

Com certeza era, mas Alice não gostou de ouvir. "É horrível", ela resmungou consigo mesma, "como todos por aqui gostam de discutir." Elevando a voz, ela

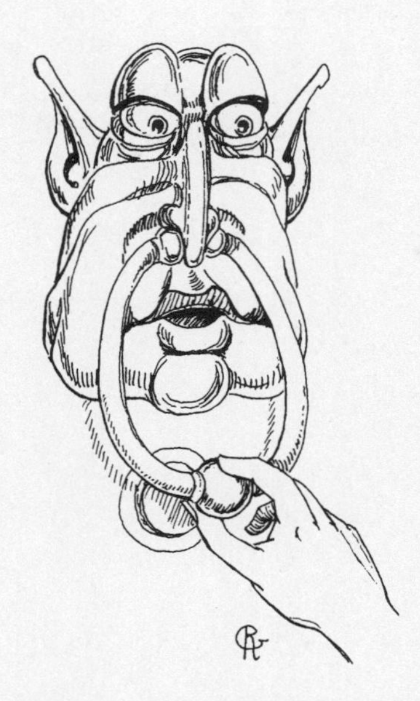

falou com a aldrava, apesar de se sentir um pouco ridícula falando com a aldrava de uma porta. "Eu tenho um convite", ela disse, segurando-o na frente da aldrava.

"Estou vendo", respondeu a aldrava. "Esse convite é para o Baile de *Massa*carados das Partículas, que é exclusivo para partículas. Você é uma partícula?"

"Tenho certeza de que não sei", respondeu Alice. "Eu achava que não era, mas, com todas as coisas que vêm me acontecendo, estou começando a achar que sou, sim."

"Bem, vamos ver se você se encaixa nos padrões", disse a aldrava, bem mais gentil, agora que seu nariz tinha melhorado um pouco. "Deixe-me dar uma olhada nas minhas anotações." Alice não tinha ideia de como uma aldrava poderia fazer anotações, muito menos consultá-las, mas, depois de uma pequena pausa, a aldrava continuou. "Ah, sim. Aqui está. A lista de especificações que definem uma partícula."

"Um", ela disse alto. "Quando você é observada, está invariavelmente numa posição relativamente bem definida?"

"Sim, acho que sim, pelo que eu sei", Alice respondeu.

"Isso é bom", disse a aldrava, encorajando-a.

"Dois. Você tem uma massa única e bem definida? Sem contar as flutuações usuais, é claro."

"Tenho. Meu peso não tem mudado muito já há algum tempo." Pelo menos, era o que ela achava.

"Muito bom. Essa é uma exigência muito importante. Todas as diferentes partículas têm suas massas particulares. É uma de suas características mais distintas e é muito útil na hora em que for necessário distinguir uma partícula da outra." Alice estranhou a ideia de que as pessoas pudessem ser identificadas por suas massas e não por seus rostos, mas então se lembrou de que as partículas como um todo não tinham nada muito definido que pudesse ser chamado de rosto.

"Três. Você é estável?"

"O que disse?", perguntou Alice, sentindo-se insultada.

"Eu disse: 'Você é estável?' É uma pergunta bem simples. Ou, ao menos, deveria ser. Essa exigência tem se tornado cada vez mais imprecisa. Antigamente era só: 'Você decai e vira alguma outra coisa? Se for provável que você venha a decair em algum momento futuro, é porque você é instável e pronto. Mas isso não bastava! As pessoas começaram a dizer: 'Não podemos ter certeza de que as coisas duram para sempre. Por isso, um estado distinto que exista por um tempo suficientemente longo pode ser classificado como uma partícula.' E, então, a pergunta é: 'O que é tempo bastante?' Anos, segundos, ou o quê? Hoje em dia, estão considerando até vidas menores do que cem bilionésimos de segundo como sendo estáveis", ela arrematou, desgostosa. "Então eu devo perguntar-lhe: você espera viver mais do que cem bilionésimos de segundo?"

"Claro. Sem dúvida", respondeu Alice, confiante.

"Bom, posso então considerá-la uma partícula estável. É melhor entrar logo. Pode ser que você não tenha nada melhor a fazer além de ficar parada aqui fora, mas eu tenho", resmungou a aldrava. Alice ouviu um clique e a porta se abriu. Ela não hesitou e entrou.

Já do lado de dentro, Alice atravessou um elegante hall de entrada, de paredes pálidas, com lustres e nichos abrigando estátuas. Como eram todas estátuas de partículas famosas, não dava para diferenciar muito uma da outra. Ela achou que

Há muitas partículas que interagem fortemente assim como prótons e nêutrons. Não é muito fácil distinguir um tipo de partícula do outro. Alguns têm cargas elétricas diferentes, mas há muitos com a mesma carga.

As partículas são normalmente identificadas na prática através da medida de suas massas, que são bem características. A maioria das partículas são instáveis em algum grau: uma partícula mais pesada se transforma em outras mais leves. Fora do núcleo, mesmo um nêutron é instável, e tem uma vida média de mais ou menos vinte minutos.

era muito esperto da parte do escultor conseguir fazer com que o rosto de uma estátua fosse tão vago e indistinto. Na verdade, para os não iniciados, elas pareciam mais uns pedaços de pedra sem forma alguma.

Para além do hall de entrada ficava um grande salão de baile. A luz vinha de lustres ornamentais que pendiam do teto mas, por algum motivo, eles não proporcionavam muita luz, e a maior parte do salão estava no escuro. As partes escuras ficavam ainda mais realçadas pelo contraste com uns pontos de luz brilhante que rodopiavam pelo salão. Um deles parou bem na frente de Alice, no meio de um círculo de luz. Para dentro do círculo de luz, pulou uma figura vestida como um curinga de baralho. Sua roupa cômica tinha listras vermelhas, azuis e verdes. Vendo mais de perto, Alice percebeu que também havia listras *antivermelhas*, *antiazuis* e *antiverdes*. Ela nunca tinha visto essas cores antes. (É uma pena que este livro não tenha ilustrações coloridas, senão você poderia ver como essas cores são.) Sua aparência fantástica era completada por uma máscara, que era decorada com um sorriso inacreditavelmente largo e permanente.

Ele se dirigiu a Alice. "Bon soir, mademoiselle. Guten Abend, Fraulein. Good evening, young lady. Boa noite, jovem dama. Wilkommen. Bienvenue. Welcome. Bem-vinda ao Baile de *Massa*carados."

"Obrigada", respondeu Alice. "Mas quem é você, e o que é um Baile de *Massa*carados?"

"Eu sou o Mestre de Cerimônias deste Baile de *Massa*carados", ele respondeu, "que é o baile de máscaras das partículas. Uma noite de Alegria e Revelação. Uma Exploração do Mistério por detrás da Máscara. Todas as partículas vêm aqui para rodopiar com danças prazerosas e, em ocasiões propícias, tirar a máscara. A sua máscara, se me permite dizer, é particularmente imaginativa", ele acrescentou.

"Não estou usando máscara", Alice disse friamente.

"Ah, e como pode ter certeza disso? Todos nós usamos algum tipo de máscara. Só hoje nós já tiramos as máscaras duas vezes."

"Não vejo como isso é possível", duvidou Alice. "Só dá para tirar a máscara uma vez. Ou se usa uma máscara ou não, isso é certo."

"Isso depende de quantas máscaras se está usando. As partículas usam muitas máscaras. No começo da noite tínhamos um grupo de átomos que tirou as máscaras e se revelou como uma multidão de elétrons e uns tantos núcleos. Mais tarde, eles tiraram as máscaras novamente e os núcleos tiraram as fantasias para mostrar que eram, na verdade, nêutrons e prótons, com alguns poucos píons entre eles. Acredito que haverá ainda mais revelações antes do final da noite.

"Mas, agora", ele gritou, numa voz subitamente mais alta para que todos no salão o ouvissem, "continuem com a festa! Mesdames et Messieurs, Damen und

Herren, Ladies and Gentlemen, Senhoras e Senhores, peço-lhes que entrem alegremente na Dança da Colisão."

Houve uma movimentação agitada e Alice viu que as partículas e seus pares começavam a dar voltas no salão. Não dava para dizer se eles estavam dançando realmente mas, com certeza, estavam girando pelo salão, aumentando de velocidade gradativamente. O maior problema era que parecia não haver consenso quanto à *direção* em que todos rodariam. Alguns iam para um lado e outros, para o outro.

Cada vez mais rápido, os grupos de partículas passavam através uns dos outros. Antes que passasse muito tempo, duas partículas colidiram, produzindo um grande estrondo. Alice olhou preocupada para ver se alguém tinha se ferido no choque. Não dava para dizer se havia alguém machucado, mas uma coisa era certa: eles não eram mais os mesmos depois dessa interação. Emergindo e se afastando do lugar da colisão, Alice viu vários pequenos píons que ela achava que não estavam lá antes, e as próprias partículas que colidiram foram transformadas em coisas diferentes. Elas tinham ficado maiores e mais exóticas do que eram antes — certamente, não eram mais as mesmas.

A dança continuou e mais colisões aconteceram, aumentando de quantidade conforme o tempo ia passando. A cada uma que acontecia, partículas nucleares relativamente conhecidas se transformavam em coisas novas e estranhas. Logo havia uma variedade assustadora de partículas — muito mais tipos do que Alice já tinha visto ou imaginava existir.

"Que visão maravilhosa, não é?", perguntou uma voz perto do ouvido de Alice. Era o Mestre de Cerimônias, sua máscara risonha a menos de um braço de distância. "Uma bela reunião hadrônica de convivas tão distintos! Uma esplêndida diversidade bariônica. Acredito que agora não haja dois deles que sejam o mesmo!"

Alice não entendeu muitas das palavras que ele usou e achou que era mais sábio não perguntar sobre elas. Ela só queria saber, da maneira mais simples possível, o que estava acontecendo. "De onde vieram todos esses novos tipos de partículas?", perguntou.

"Eles foram criados nas colisões, é claro. Como você viu, as partículas estavam girando em volta do salão muito rapidamente e, por isso, tinham bastante energia cinética. Quando elas colidiram, essa energia pôde ser convertida em energia de massa de repouso para que partículas de maior massa pudessem ser criadas. Nas diferentes colisões que ocorreram, diferentes partículas foram produzidas. Cada uma delas tem uma massa de repouso distinta que, convenientemente, serve para identificá-las, apesar de existirem outras diferenças, mais sutis. Acredito que agora não haja mais aqui duas partículas com interação forte que estejam com a mesma massa. É isso o que acontece em um Baile de *Massa*carados."

Partículas podem ser criadas em processos de colisão, a energia cinética das partículas que colidem sendo convertida para produzir a energia da massa de repouso das novas partículas. Muitas dessas partículas foram descobertas e classificadas em vários *grupos de simetria*, mas agora se sabe que elas são diferentes combinações de quarks, assim como átomos são combinações de elétrons com prótons e nêutrons em seus núcleos. Os férmions, ou *bárions*, contêm três quarks enquanto os bósons, ou *mésons*, contêm um quark e um antiquark.

Mais uma vez ele elevou a voz e se dirigiu a todos no salão. "A dança acabou. Por favor, reúnam-se com seus devidos multipletos."

A seu comando, as partículas reunidas começaram a se dividir em pequenos aglomerados, espalhados pela sala. Alice viu que a maioria se reunia em grupos de oito partículas, seis dispostas na forma de um hexágono e duas unidas no meio delas. Alguns poucos grupos tinham dez partículas num desenho triangular, com quatro partículas formando a base.

"Aí estão as partículas arrumadas em seus grupos de simetria", disse o Mestre de Cerimônias baixinho para Alice. "Esses grupos são aglomerados de partículas que têm todas o mesmo valor para alguma propriedade, tal como o spin. Veja que há alguma regularidade em todos os diferentes agrupamentos. Isso é um sinal de que há alguma similaridade por debaixo da pele, ou melhor, por debaixo da máscara. Você deve reconhecer alguns dos membros daquele grupo mais próximo", ele acrescentou.

Alice olhou para as oito partículas que estavam perto dela e viu que as duas que formavam o lado superior da figura com seis lados eram um próton e um nêutron. As outras, porém, eram desconhecidas para ela.

"Esse é um grupo de bárions em que todos têm spin 1/2", disseram a ela. Isso não significava nada para ela, mas estava pronta para acreditar em tudo o que ouvisse naquele momento.

"O nêutron e o próton, acho que você já conhece. Na próxima fila temos a partícula sigma, que pode aparecer tanto com carga elétrica positiva, negativa ou nula. Como consequência, pode aparecer como se fosse três partículas diferentes. No centro do desenho temos o lambda, que é uma partícula única, sem carga. São todas partículas muito estranhas", ele completou.

Ver nota 1 no final do Capítulo

"Parecem todas muito estranhas para mim", Alice concordou, ao examiná-las mais de perto.

"Não, não. *Estranheza* é só o nome de uma propriedade possuída por certas partículas e que, por acaso, foi *nomeada* assim, 'estranheza'. É como se fosse carga elétrica, só que completamente diferente", disse ele, sem explicar muito. "As partículas que restam se apresentam em dois estados carregados, e, por isso, há duas delas", ele explicou. "É duplamente estranho, é claro."

"Claro", repetiu Alice.

"E agora chegou a hora", ele gritou, de repente, falando alto e claro para que sua voz ecoasse por todo o salão. "Agora é a hora para o desmascaramento final da noite. Mesdames et Messieurs, Damen und Herren, Ladies and Gentlemen, Senhoras e Senhores, peço-lhes que... tirem as máscaras!"

Como tudo aconteceu, Alice não sabe explicar mas, por todo o lado, a aparência das partículas tinha mudado. Ela olhou para a partícula que estava mais perto dela, que era aquela que o Mestre de Cerimônias tinha chamado de lambda. Ela não parecia mais com uma partícula, e sim com um tipo de sacola, dentro da qual Alice conseguia ver três formas. Ela chegou mais perto para tentar vê-las melhor e percebeu que estava sendo atraída para dentro do invólucro. Ela tentou se afastar mas, apesar de seus esforços, foi sugada para dentro.

No lado de dentro, Alice notou que não havia espaço suficiente para ela ficar de pé. Tentou se ajoelhar no chão, mas o invólucro ainda a pressionava para baixo. Tentou se deitar com um cotovelo no chão enquanto o outro braço protegia sua cabeça.

Nessa posição desconfortável, ela olhou em volta e localizou as três figuras que tinha avistado do lado de fora. Agora que conseguia vê-las direito, pôde observar que não eram tão diferentes das partículas que ela tinha conhecido até agora. Cada uma delas tinha uma cor específica. Uma era vermelha, a outra era verde, e a outra era azul. Alice percebeu que eram interligadas por um tipo de fio multicor, pintado com as três cores e com as três anticores que ela tinha visto na roupa do Mestre de Cerimônias.

Alice estava tão absorvida pela tarefa de observar essas estranhas e novas partículas, que ficou surpresa ao ouvir uma voz vindo de uma delas.

"Se você acha que isto aqui é um cinema, vai ter de pagar", ela disse. "Cinema não foi feito para ser visto de graça, sabia?"

"Por outro lado, se você acha que estamos vivos, deveria dizer olá e apertar nossas mãos."

"Desculpem-me", exclamou Alice arrependida enquanto, com alguma dificuldade, estendia a mão para eles. Ela não sabe como foi que aconteceu mas, em vez de uma mão, ela apertou o bulbo de borracha de uma daquelas buzinas antigas de carro. Ao apertá-la, ouviu-se o barulho que as buzinas velhas fazem.

"Pois bem, e quem é você?", ela perguntou, um pouco irritada com a brincadeira.

"Nós dispensamos apresentações, nós as fazemos. Nós somos os Irmãos Quark", respondeu o porta-voz, acenando para Alice com as sobrancelhas. "Eu sou Uppo, esse é Downo e aquele ali é o Strangeo." Uppo era verde, Downo era vermelho e Strangeo, azul.

Espero que não se importem se eu me juntar a vocês", disse Alice, tentando fazer com que sua posição desconfortável não parecesse tão ruim.

"Por quê? Nós não vamos nos separar", Uppo respondeu, e os três caíram na gargalhada.

Alice não estava se divertindo; ela não tinha achado a piada engraçada. Na verdade, pensando melhor, ela não tinha achado nem interessante. Olhou para os três irmãos irritada e se deu conta de que Uppo estava vermelho e Downo, verde.

"Vocês mudaram de cor", Alice disse num tom quase acusador.

"Naturalmente", respondeu Uppo com tranquilidade, "é normal que eu seja um pouco descolorido. Quando comecei, eu era bem verdinho; depois, tudo ficou azul. Agora estou começando a enrubescer. Você sabia que partículas que têm carga elétrica trocam fótons?", disse ele, de repente.

"Sabia. Já me disseram isso", ela respondeu.

"Bem, nós, os Quarks, somos figuras coloridas. Nós ficamos juntos trocando glúons entre nós. Na alegria e na tristeza, ou melhor, no verde, vermelho ou azul. Os glúons ficam por perto quando veem a cor do nosso dinheiro; eles monitoram

Os quarks são a forma de matéria mais fundamental conhecida hoje em dia. Todas as partículas com interação forte são agrupamentos limitados de quarks. Cada férmion consiste em três quarks, e os bósons, em um quark e um antiquark juntos. A ligação entre eles é muito forte e, assim como a interação elétrica, origina-se da troca de partículas virtuais.

nossas cores. Todas as partículas que têm cor trocam glúons. Os glúons as mantêm unidas da mesma maneira que os fótons fazem com as partículas que têm carga."

"Mas por que vocês mudam de cor?", Alice perguntou. "As partículas carregadas não mudam sua carga elétrica quando trocam fótons."

"Não, mas os fótons não transportam a carga. Não há carga em um fóton, e é por isso que eles são tão populares. Os glúons transportam cor. Quando um glúon colorido escapa de sua fonte, o tom da cor que ele carrega é transferida para o quark que o capturar. É sempre de bom tom, posso lhe assegurar." Enquanto Uppo ia falando, Downo mudou seu tom de cor para azul e Strangeo ficou vermelho, com seu cabelo encaracolado assumindo um tom particularmente vívido dessa cor.

Ver nota 2 no final do Capítulo

Uppo apontou para Strangeo. "Veja", ele disse, "aí está uma fonte de cor diferente!

"É porque temos glúons tão coloridos que não podemos nunca ser separados. Um por todos e todos por nada. Juntos, continuamos de pé e, divididos, permanecemos inseparáveis."

"Acho que não estou entendendo nada", protestou Alice.

"Nós todos sabemos que cargas elétricas opostas se atraem, mas é possível separar partículas que estejam sob esse tipo de atração. Elas se mantêm unidas pela troca de fótons, mas os fótons não têm carga."

"Porque eles não têm cargas, os fótons estão livres. Podem ir aonde quiserem", disse Downo, de repente.

"Certo. Por não terem carga, os fótons estão livres, livres para se espalharem como quiserem. Eles não precisam trocar outros fótons entre si."

"Se há ausência de carga e não há mudança, não há transação", completou Downo. "Esses fótons não fazem negócios juntos."

"Sem carga, os fótons virtuais não têm o que fazer um com o outro e, por isso, não se atraem. Ninguém recebe carga de ninguém. Assim, eles podem se espalhar por todos os lugares. Quanto mais afastadas ficarem as fontes de carga, mais espaço há para os fótons se espalharem. Eles ficam bem espalhados, com menos momentum para transferir."

"No meu último emprego, fui transferido", Downo interrompeu, prestativo. "Disseram que iam me dar um pequeno momentum, mas me deram apenas um bilhete azul."

"E você sentiu a força do argumento deles", completou Uppo. "Mas, com menos momentum para ceder, a força diminui. Se você afasta as cargas, elas perdem o contato, a atração fica cada vez menor e acabam ficando tão distantes, que nem se lembram de escrever uma carta. Dê a elas energia suficiente e você poderá levá-las aonde quiser. Elas chegam a ficar tão separadas que nem é mais possível falar em atração. As cargas, assim, ficam muito independentes. Espero que saiba o que quer dizer uma 'carga independente'", ele acrescentou.

"Mas chega de cargas elétricas, estamos aqui para falar de cargas de Quark."

"O que é uma carga de Quark?" perguntou Alice curiosa, sempre querendo saber o máximo possível sobre as coisas.

"Taxa dupla nos finais de semana, e para Quarks-up", respondeu Downo. "Mas nós somos barateiros. Nossa carga é só um terço da carga das outras partículas."

"Há uma coisa que eu não entendo", Alice disse para Downo. (Não era exatamente verdade, já que havia muitas coisas que ela não estava entendendo àquela altura.) "Por que é que você imita sotaque de italiano? Eu não acredito que você seja italiano."

"É porque ele é um férmion", respondeu Uppo. "Enrico Fermi era italiano."

"Mas vocês todos não são férmions?", observou Alice.

"Claro! Um por todos e todos por Pauli. E ninguém pode negar." Os três quarks ficaram em posição de sentido e bateram continência.

"Somos um grupo indivisível. Um Quark não pode fugir de dentro de um próton ou de qualquer outra partícula. E tudo isso por causa do vermelho, verde e azul. Que bandeira!"

"Desculpe-me", Alice começou a dizer.

Muitas partículas têm carga elétrica, e é um fato notável que as partículas observáveis tenham cargas todas do mesmo valor. Algumas partículas têm carga positiva, algumas têm carga negativa, mas a *quantidade* é a mesma para todas elas. Essa quantidade é normalmente chamada de *carga do elétron*, simplesmente porque o elétron foi a primeira partícula a ser descoberta.

Estimativas sobre as cargas elétricas dos quarks mostram que, com eles, é diferente. Um quark pode ter uma carga positiva com *dois terços* da carga de um elétron, ou ter uma carga negativa com *um terço* da carga de um elétron. Porque os quarks não podem escapar de seus agrupamentos, essas cargas fracionárias não podem ser observadas diretamente, mas há fortes evidências de que estão corretas.

"Saúde!", respondeu Uppo, mas Alice continuou, determinada.

"Não sei o que você quer dizer com *bandeira*."

"É claro que não — até que eu lhe diga. Eu quis dizer: 'Aí está um bom argumento final!' "

"Mas *bandeira* não quer dizer isso!" protestou Alice.

"Quando eu uso uma palavra, ela significa aquilo que eu quiser, nem mais, nem menos. A questão é quem é o mestre — só isso. Mas com os glúons a história é outra", ele acrescentou, melancólico. "Não há maneira de controlá-los, eles nunca saem de perto — são diferentes dos fótons. O problema é que os glúons são coloridos. E cor gera glúons, assim como cargas elétricas geram fótons. Por isso, todos os glúons emitem novos glúons, e esses glúons emitem mais glúons. Você começa com um ou dois e acaba com centenas. É como quando a família da sua esposa vem passar uns tempos na sua casa. E porque todos estão emitindo glúons, todos ficam juntos, assim como a família do seu cônjuge. Em vez de se espalharem numa nuvem confusa, como fazem os fótons, eles se aglomeram para formar os resistentes fios coloridos de glúons virtuais que você vê aqui. Por estarem assim aglomerados, eles não estão livres para se espalharem como os fótons. Não existe um grupo livre."

"Quando um Quark se afasta, ele logo chega ao final do fio. Se tivermos bastante energia, os glúons dão mais linha, mas ainda assim continuamos presos na extremidade dela. Por mais longe que formos, a atração dos glúons nos faz voltar. Não podemos nos libertar, mas é possível fugir com uma ajudinha dos amigos."

Naquele momento, especialmente apropriado, um fóton de altíssima energia se chocou contra o grupo de Quarks. Alice não foi avisada e nem o viu chegando.

A existência de três tipos diferentes de cor permite que os glúons também sejam coloridos. Cada glúon é a mistura de uma cor e de uma anticor. Com os fótons, uma mistura de carga e anticarga elétricas resulta em uma ausência de carga na partícula. Já os glúons podem misturar cores diferentes; um glúon pode ser azul e antiverde, por exemplo. Um glúon assim não é neutro; ele possui uma cor e pode agir como uma fonte de outros glúons. Isso significa que os glúons também estão ligados uns aos outros e formam fios estreitos que mantêm os quarks unidos, em vez de os espalhar por aí como é o caso dos fótons.

Na verdade, ela agora se deu conta, os fótons se movem tão rápido que não dá para vê-los vindo, só os vê depois que chegam. Esse fóton colidiu com Strangeo, estimulando-o a ponto de deixá-lo num frenesi louco e fazendo-o correr para longe, tocando alto a sua buzina. Atrás dele, o fio se esticava mais e mais. Alice viu que, por mais que se esticasse, o fio não ficava mais estreito nem parecia enfraquecer. Era óbvio que ele podia ser esticado indefinidamente, e que o Quark em fuga logo ficaria sem energia, sem chance alguma de escapar. Mas, assim que Alice chegou a essa conclusão... a corda se rompeu!

Onde, poucos momentos antes, havia uma longa e maleável corda que estava absorvendo toda a energia que o fóton tinha fornecido, havia agora *dois* pedaços de corda muito curtos com um intervalo que ia crescendo gradualmente entre eles. Em cada lado dessa quebra havia aparecido um novo Quark, cada um deles preso a uma das pontas soltas da corda. Na ponta da corda que permanecia presa aos dois Quarks que tinham ficado com Alice, surgiu um Quark que parecia exatamente igual ao Downo, mas que tinha uma cor diferente. Strangeo, que se afastava rapidamente, arrastava consigo seu próprio pedaço de corda, em cuja extremidade pendia uma versão invertida de Downo. Alice deduziu corretamente que esse era provavelmente um antiquark. "O que foi que aconteceu?", Alice perguntou, confusa.

"Você acabou de ver um Quark escapar com a ajuda de seus amigos de lugares inferiores. Amigos do vácuo, na verdade, e não é possível descer mais do que isso. Não dá para separar uma corda de glúons uma vez que ela tenha visto a cor de um Quark, por isso, temos de enganá-la com algo que pareça muito com um Quark."

"O quê, por exemplo?", Alice perguntou.

"Outro Quark, é claro. Quando a corda de glúons foi esticada o bastante e contém energia suficiente para criar as massas de repouso de dois Quarks, nós cortamos a corda, e aí tudo acontece. Uma ponta ganha um Quark novo e a outra, um Não."

"Tem um nó na corda?", perguntou Downo (um dos Downos).

"Parece. Tem um Quark numa ponta e um Não Quark na outra."

"O que é um Não Quark?", Alice perguntou.

"Um anti-Quark. E, se você acredita nisso, devia conhecer meu tio. Parte da corda original sumiu ao longe, levando energia e conectando o ausente Strangeo ao novo anti-Quark. Está vendo? A ausência faz com que o outro vá mais além."

"Ele pode ter escapado, mas não está livre", protestou Alice.

"Mesmo com uma ligação, ele está livre. Está livre de nós, mas permanece ligado. Com seu anti-Quark, ele vai virar um bóson. É como se fosse um píon, mas píons são traiçoeiros e, nesse caso, o que eles formaram foi um káon. Você não verá um Quark livre — mesmo no mar dos Quarks, mas isso é outro balaio de gatos, ou de peixes."

"Tem peixes no mar de Quarks?", Downo perguntou.

"Não há nada piscoso no mar de Quarks. A única finalidade dele é abrigar os pares virtuais Quark-Antiquark, a única!"

"Essa única coisa eu entendi, além da virtual idade, mas por que há peras no mar?", brincou Downo.

"Esqueça o mar", respondeu Uppo, "ou eu ficarei mareado. O negócio é que você nunca vai ver um Quark sozinho."

Ver nota 3 no final do Capítulo

"Isso quer dizer que vocês vão ter de ficar aqui para sempre, sem a menor esperança de mudança?" perguntou Alice, preocupada.

"Mas nós podemos mudar, com certeza. Dizem que mudar é tão bom quanto descansar, mas eu me sinto totalmente à vontade para discutir a interação fraca."

"Ouvi falar dela enquanto estava visitando o Núcleo. Acho que tem a ver com o decaimento beta dos núcleos, seja lá o que isso for."

"É a mesma coisa. Na verdade, é uma coisa muito mais 'abeta'. O que acontece é que um nêutron dentro do núcleo se transforma em um próton e um nêutron, produzindo uma outra partícula chamada neutrino. Esse neutrino não tem carga elétrica, nem massa, nem interação forte. Ele não faz muita coisa, como a maioria do pessoal que eu conheço. De qualquer forma, essa é a história que nós contamos. O que *realmente* acontece é que um Quark down dentro do nêutron se transforma em um Quark up, em um elétron e em um neutrino. Quando o

Quark down se transforma em um Quark up, tudo fica para cima. Ele eleva a carga, o nêutron se transforma em próton, e é isso aí. Fique por perto, e pode ser que você tenha sorte."

Mal tinha ele acabado de falar quando, por uma providencial coincidência, um dos Downos começou a sair de foco, se transformar e perder sua identidade. Após um momento de transição, Downo não estava mais lá, e em seu lugar estava uma duplicata de Uppo. Quando ele deu um passo para o lado, Alice viu um elétron sair correndo do mesmo lugar. Ele foi seguido ainda por outra partícula. Alice só a viu de relance, pois era dificilmente observável e muito difícil até de se ver. Ela deduziu que era o neutrino, em seu papel natural de ignorar e ser ignorado por tudo e por todos.

O grupo de três Quarks agora consistia em um Downo e dois Uppos idênticos. Idênticos a não ser pelo fato de que, naquele momento, um estava verde e o outro, azul. "Puxa!", disse Alice. "Que coisa mais impressionante!"

Obedientemente os dois Uppos repetiram, em perfeito uníssono: "Que coisa mais impressionante!"

"Mas o que você esperava", os dois acrescentaram, "quando as partículas intercambiadas em uma interação têm carga elétrica? Fótons não têm carga elétrica, mas isso aqui não é um feixe de luz. Quando uma fonte emite uma dessas partículas carregadas, ela precisa compensar a carga. Não se permite flutuações aqui, entende? Quando a carga elétrica de uma partícula muda, ela passa a contar como uma partícula diferente. Você já deve ter ouvido falar da compensação de cargas. É assim que nós, Quarks, mudamos", ele completou.

"Mas de onde veio aquele elétron?", Alice perguntou, sentindo que a explicação deixava a desejar.

"As partículas intercambiadas na interação fraca são chamadas de 'W'", Uppo começou a falar, inconsequentemente.

"O quê?", respondeu Alice, esquecendo sua boa educação por alguns momentos.

"'Q', não. Só 'W'. Não é um grande nome, mas é tudo o que eles têm, pobrezinhos. Existem dois deles: um é o W Mais e o outro é o W Menos. Ninguém nunca perguntou o que significa esse W", ele arrematou, pensativo. "De qualquer maneira", continuou, "os Ws, como os amigos os chamam, são muito amigáveis. Se misturam com qualquer um e interagem tanto com léptons quanto com hádrons, com elétrons assim como com as partículas que sofrem interação forte também. Então, quando um Quark down decide que é hora de se transformar em um Quark up, a carga deve ser elevada. A carga elétrica do Quark aumenta e ele emite uma partícula W Menos para equilibrar as coisas. Esse W, por sua vez, segue as regras e interage com um neutrino que esteja de passagem e que não tem carga

alguma, transformando-o em um elétron, que tem carga elétrica. O elétron se vê acompanhado por um monte de partículas com interação forte, coisa a que não tem direito, e vai embora o mais rápido possível."

Ver nota 4 no final do Capítulo

"Mas onde é que o W encontra um neutrino para transformar em elétron?", perguntou Alice meio confusa. "Não achei que o neutrino já estivesse lá. Achei que ele era emitido depois do decaimento, junto com o elétron."

"Ah, é aí que ele engana a todos. Você achava que ele tinha de estar lá *antes* mas, em vez disso, estava lá *depois*. Você está esperando que ele chegue do passado e ele vem de fininho, voltando do futuro a tempo de chegar bem na hora em que precisam dele. É claro que, por ter vindo do futuro, ele continua por aí depois, esperando a hora de chegar. Dessa forma ele consegue ser tanto o neutrino convertido pelo W quanto aquele emitido depois do decaimento. Isso diminui bastante os custos operacionais."

"Mas como é que ele pode vir do futuro?", perguntou Alice. Ao perguntar, ela sentiu claramente que já sabia a resposta.

"É um antineutrino, é claro. Um dos meus 'antis' favoritos. Toda partícula tem uma antipartícula, que viaja para trás no tempo e, por isso, é o completo oposto do original. Esse é o grande princípio das antipartículas — 'O que quer que seja, sou contra'."

"E não há nenhuma maneira de vocês ficarem livres?", Alice perguntou, querendo deixar isso bem claro.

"Não. Não há nenhum jeito", ele assegurou.

"Isso quer dizer que eu também não posso sair?", ela perguntou amedrontada, pois não queria ficar presa com eles ali para sempre. "Claro que pode. Como você não tem cor, os glúons não vão segurar você. Você é uma das pessoas mais descoloridas que nós já conhecemos, nada vai prender você aqui. Pode ir embora na hora em que quiser. Nós nem vamos perceber. Pode se levantar e ir, só não se esqueça de deixar uma gorjeta."

Parecia simples demais mas, ainda assim, Alice tentou. Ela se levantou e viu que, de fato, nada a impedia de deixar o grupo a qualquer hora. Ela se espreguiçou, depois de ter ficado tanto tempo em um lugar tão apertado, olhou em volta e viu que estava cara a máscara com o Mestre de Cerimônias. Sua máscara sorridente estava pertinho do rosto dela. Ela olhou para ele, hipnotizada por seu sorriso largo e imóvel e por suas escuras órbitas oculares. Lá dentro do profundo negrume, onde os olhos dele deveriam estar, Alice imaginou ver um intenso brilho azul, como uma estrela distante numa noite clara de inverno.

"Gostou de seu encontro com os Quarks?", ele perguntou alegremente.

"Foi muito interessante", ela respondeu com sinceridade. "Eles são figuras bem coloridas, mas achei-os muito volúveis.

"Esse foi o último desmascaramento da noite", ela prosseguiu, "ou mais camadas têm de ser retiradas antes de eu poder ver o que está lá de verdade?"

"Quem sabe?", ele respondeu. "Como saber se você está olhando diretamente para o rosto nu da Natureza ou se é simplesmente mais uma máscara? Esta noite, porém, há ainda mais um desmascaramento por acontecer. Tenho de tirar minha própria máscara."

Enquanto ele ia falando, a luz do holofote que o tinha seguido por toda a noite começou a enfraquecer e a luz dos candelabros ficou ainda mais sutil do que antes. Quando as luzes diminuíram, o Mestre de Cerimônias levou ambas as mãos ao rosto e vagarosamente removeu a máscara.

Sob a luz que rapidamente ia sumindo, Alice olhou para o rosto por detrás da máscara. Ela não viu nada além de um vazio total, liso e oval sem nenhum traço distinguível. Ficou olhando estupefata para essa visão enigmática e, com a última réstia de luz, viu a *máscara* piscar um olho para ela.

Notas

1. Os prótons e os nêutrons que habitam o núcleo (conhecidos genericamente como núcleons) são exemplos de partículas com interação forte, também conhecidas como *hádrons*. Existem muitos outros hádrons, apesar de nem

todas as partículas participarem da interação forte. A classe de partículas conhecidas como *léptons* não sente a interação forte. Os elétrons pertencem a essa classe e por isso não estão presos dentro do núcleo junto com os núcleons. Eles percebem o núcleo apenas como uma carga positiva que os mantém frouxamente presos dentro do átomo.

Experimentos em física de altas energias levaram à descoberta de centenas de partículas com interação forte. É uma situação já bastante familiar na física. Sempre que uma classe contém um número muito grande de elementos, normalmente se descobre que eles são compostos por algo ainda mais básico. Os vários compostos químicos identificados são todos compostos por átomos. Existem 92 variedades naturais de átomos que são estáveis e todos são compostos por elétrons arrumados em números variáveis em torno de um núcleo central. Os núcleos, por sua vez, são compostos por nêutrons e prótons unidos pela troca de píons, que foram mencionados no capítulo anterior. Agora, sabe-se que nêutrons e prótons são apenas membros de uma classe com centenas de outros: K, ρ, ω, Λ, Σ, Ξ, Ω, Δ e daí em diante. Foi agora mostrado que todas essas partículas são formadas por quarks.

2. Os quarks são mantidos unidos por uma força parecida e, ainda assim, diferente da interação elétrica. Essas forças não agem sobre a carga elétrica, e sim sobre outra coisa chamada *carga de cor* ou apenas *cor*. Não há relação alguma com "cor" da maneira como a entendemos; é só um nome dado a algo totalmente novo. O fato de a palavra *cor* já ser usada pode ser um infortúnio, apesar de não ser a primeira vez em que uma palavra tem dois significados diferentes.

A interação entre duas partículas eletricamente carregadas se deve à troca de fótons virtuais. A interação entre quarks é causada pela troca de uma nova classe de partículas denominadas *glúons*. Há diferenças entre as duas interações. Cargas elétricas só existem em duas formas: negativa ou positiva, ou carga e anticarga. Os fótons que são trocados entre cargas elétricas são, eles próprios, eletricamente neutros; não têm carga e por isso não emitem fótons virtuais.

Os glúons trocados entre quarks são emitidos por uma forma de carga contida nos quarks, mas completamente diferente da carga elétrica normal. Ela é chamada de carga de cor, apesar de não ter nada a ver com as cores que nós vemos. Enquanto há apenas uma forma de carga elétrica, juntamente com seu oposto, ou anticarga, há três tipos diferentes de cargas de cor, denominadas *azul*, *verde* e *vermelho*. Novamente, deve ser enfatizado que esses nomes são simples convenções e nada têm a ver com as cores normais. Associada a cada cor, há uma anticor e há duas maneiras de se criar objetos de cor neutra. Com cargas elétricas só é possível criar um objeto eletricamente neutro através da combinação de carga e anticarga (carga positiva e negativa). Há duas maneiras de se criar partículas de cor neutra: através da combinação de uma cor e uma anticor (como nos bósons) ou da combinação de todas as três cores dos quarks (como nos férmions).

3. Quando as partículas estão unidas pela interação elétrica, a energia potencial na ligação diminui rapidamente quando elas se afastam. Se a uma partícula for fornecida energia bastante, ela pode se liberar completamente, como um foguete que atingiu velocidade de escape e tem energia suficiente para escapar da atração gravitacional da Terra. Contudo, quando um fio de glúons já foi esticado, a mesma quantidade de energia usada antes só vai esticá-lo um pouquinho mais. É como esticar um elástico; fica cada vez mais difícil quanto mais você o estique. E, também, é semelhante a um elástico nesse sentido: ao ser esticado, ele pode se romper.

   O fio de glúons é capaz de absorver mais e mais energia conforme os quarks se separam e o fio vai sendo esticado. Uma hora ou outra, a energia no fio é mais do que necessária para criar um par quark/antiquark. No lugar do sistema original de três quarks aparecem dois sistemas distintos, um com três quarks e o outro com um quark e um antiquark. Em vez de liberar um quark livre, a energia cria uma nova partícula, um bóson. É sempre isso o que acontece, e quarks livres nunca são criados.

4. Apesar de quarks não serem capazes de escapar das "partículas" em cujo interior estão presos, eles conseguem mudar de um tipo para outro. Isso se deve a um processo peculiar chamado *interação fraca*. A interação fraca é um processo bem liberal que interage literalmente com qualquer coisa. A interação eletromagnética afeta somente as partículas que têm carga elétrica. A interação forte afeta apenas as partículas com interação forte (ou hádrons), e não os léptons. A interação fraca afeta a todos, apesar de seu efeito ser bastante lento e fraco, pois essa é uma interação *fraca*.

   A interação fraca é peculiar por poder alterar quarks. Ela pode fazer com que um quark *down* ou um quark *estranho* se transforme em um quark *up*. Nesse processo, a carga elétrica do quark é alterada, e a carga extra é levada embora pelo "bóson W", o tipo de partícula trocada na interação fraca. Essa carga pode então ser transportada para léptons recém-criados, um elétron e um lépton sem massa eletricamente neutro, conhecido como antineutrino. Isso ocorre no processo de decaimento beta nuclear, em que um núcleo radioativo

emite um elétron rápido. Esse processo é conhecido há muitos anos, mas era estranho porque estava claro que não havia elétrons disponíveis dentro do núcleo para serem emitidos dessa forma. O elétron é criado durante o processo de decaimento e, por não estar ligado, sai do núcleo imediatamente.

10

A Pheira Phantástica da Física Experimental

A escuridão em volta de Alice lentamente se desfez. As sombras desimpediram seus olhos, que imediatamente foram invadidos por um caos de luzes e cores brilhantes. Ao mesmo tempo, seus ouvidos foram tomados por uma agressiva confusão de sons. Olhando à sua volta, Alice percebeu que estava no meio de uma multidão de pessoas festivas e variadas. Parecia haver todo tipo de gente lá, vestida de todo jeito. Alguns deles, ela viu, vestiam aqueles uniformes brancos que os cientistas supostamente usam em seus laboratórios, enquanto outros estavam vestidos com roupas informais ou com ternos sisudos. Ela conseguiu diferenciar trajes típicos de outros países e também de diferentes momentos da história.

Havia homens em sobrecasacas elisabetanas, com fartas e impressionantes costeletas, outros usavam túnicas ou robes chineses tradicionais com mangas largas, acompanhados de compridos rabos de cavalo. Um dos presentes era particularmente cabeludo e passeava entre os outros metido em peles de animais. Na mão, ele carregava o que parecia ser uma roda tosca, feita de pedra. Em um dos lados da roda, as palavras *Patente Registrada* tinham sido cuidadosamente esculpidas. Um homem em especial chamou a atenção de Alice por algum motivo. Ela pressentiu alguma qualidade diferente nele, sem saber exatamente o que poderia ser. Ele tinha um rosto pálido e marcante e estava vestido com calças, coletes e camisa do século 17. Ele estava andando distraído, comendo, com largas dentadas, uma maçã grande e vermelha.

"Onde estou?", ela perguntou a si mesma, falando em voz alta, mas esperando não ser notada no meio da confusão que a rodeava.

"Você está na Pheira Phantástica da Física Experimental", foi a resposta inesperada. Alice se virou para ver quem tinha respondido e viu que, mais uma vez, era seu acompanhante o Mecânico Quântico, que estava andando silenciosamente a seu lado. Ele apontou para uma faixa que ia de um lado a outro de uma passagem por onde eles tinham acabado de entrar. Nela estava escrito:

Pheira Phantástica da Física Experimental

"Está escrito de um jeito estranho", comentou Alice, sendo essa a coisa que primeiro chamou sua atenção.

"E o que você esperava? Todos são cientistas aqui. Este é o grande parque da observação experimental. Aqui você encontrará várias demonstrações de fenômenos físicos e shows de resultados experimentais."

Alice olhou à sua volta e viu uma maravilhosa variedade de barraquinhas e tendas, e uma ou outra construção mais sólida. Todas exibiam pôsteres com cores berrantes que disputavam a atenção da multidão. Ela leu alguns deles:

Viva as emoções das
colisões de partículas

A caçada do neutrino

Arranque um quark e
ganhe um Prêmio Nobel

Havia alguma espécie de tumulto na multidão ali perto. Alice olhou na direção do alarido e viu um homem, careca e de barba, enrolado em algo que parecia ser uma imensa toalha de banho. Estava abrindo caminho com os ombros através da multidão, apesar do imenso cartaz que levava em uma mão e do longuíssimo cajado, ou espécie de alavanca, que carregava na outra. Alice olhou atentamente para o cartaz. Na parte de cima, tinham sido cobertas de rabiscos as palavras:

"Sinta a Terra se Mover!"

Embaixo dessas palavras rabiscadas, lia-se a mensagem modificada:

Veja-me Mover o Mundo!

"Quem é aquele", ela perguntou, "e o que ele está planejando fazer?"

"Oh, ele é um famoso filósofo grego. É óbvio que está preparando sua velha demonstração 'Movendo o Mundo'."

"É mesmo?", exclamou Alice. "E ele move o mundo sempre?

"Oh, não. Nunca conseguiu. Ele não consegue achar um local fixo onde possa se colocar para acionar sua alavanca."

Como isso não prometia oferecer muita diversão, Alice olhou em volta procurando algo mais interessante. Sua atenção foi atraída por uma barraquinha próxima que tinha o nome de "Canhão Fotoelétrico". Era um tipo de pistola estilizada de onde o jogador dirigia um feixe de luz sobre uma superfície de metal. A luz fazia com que os elétrons fossem emitidos do local de contato. E a ideia, conforme explicou o ocupante da barraquinha, era fazer com que os elétrons andassem um pouquinho até uma espécie de balde, onde seriam coletados. Alice achou o jogo bastante fácil, mesmo depois de ouvir que, para tornar as coisas mais interessantes, havia um fraco campo elétrico que dificultava a passagem dos elétrons e os fazia voltar antes que chegassem ao coletor. Afinal, como explicou o dono da barraca, havia um controle que permitiria a Alice aumentar a intensidade do feixe de luz muitas vezes acima de sua potência. Por mais que ela tentasse, porém, viu que *não conseguia* fazer os elétrons percorrerem essa última parte do trajeto. Alice aumentou cada vez mais a intensidade do feixe de luz. Mais e mais elétrons saíam do "canhão", mas todos eram repelidos, no último momento, pelo campo elétrico.

"Mas que pena!", exclamou Alice, frustrada.

"Receio que era isso que você deveria esperar", disse seu acompanhante, com pesar. "Veja, só deram a você o controle sobre a *intensidade* da luz, e não sobre sua *cor*. Se a luz fosse uma onda clássica, você poderia esperar que, ao aumentar sua intensidade, o distúrbio causado por ela aumentasse também, e isso forneceria mais energia aos elétrons emitidos da superfície do alvo metálico. Na verdade, é a cor, ou frequência, da luz que determina a energia dos fótons individuais que a compõem. Como ele não lhe deu meios para alterar a frequência, não há como alterar a energia dos fótons ou, nesse caso, dos elétrons, que os fótons arrancariam da superfície de metal. Todo o esquema foi montado cuidadosamente para que a energia não fosse *suficiente* o bastante para vencer o campo elétrico contrário. Quando você aumenta a intensidade da luz, você dirige mais fótons sobre a

superfície e eles produzem mais elétrons, mas todos têm a mesma energia e em todos os casos ela não é suficiente para levar os elétrons ao coletor. É impossível ganhar, eu diria."

Alice se sentiu enganada por sua experiência nessa barraquinha e procurou, à sua volta, por algo diferente que a distraísse. Perto dela havia uma pequena tenda com um cartaz que dizia:

Venham! Venham! Venham!
Vejam a maior coleção de quarks em cativeiro.

A descrição quântica do mundo não é aquilo que normalmente esperamos. A razão para acreditar nela é que suas previsões são confirmadas por resultados experimentais. É a única teoria que oferece algum tipo de explicação para o comportamento da matéria em escala atômica, e o faz admiravelmente bem.

As características centrais do comportamento quântico são a detecção de partículas discretizadas e a observação de interferência. A observação de quanta é exibida no efeito fotoelétrico: a produção de elétrons pela luz incidindo sobre uma superfície de metal. O único resultado de se aumentar a intensidade da luz é o aumento do número de fótons presentes e, consequentemente, do número de elétrons. Cada fóton continua interagindo sozinho. Assim, se a *frequência* da luz não se alterar mas apenas a sua *intensidade*, cada fóton continuará com a mesma energia, e as energias de quaisquer elétrons produzidos serão as mesmas, independente da intensidade da luz. É uma diferença enorme do comportamento que se espera de uma onda clássica, onde uma intensidade maior implicaria em mais energia fornecida.

Alice e seu acompanhante entraram na tenda, cujo dono estava dizendo a um grupo de pessoas a sorte que elas tinham por poder ver todos os seis quarks capturados e em exibição para a diversão de todos. Alice olhou para a apresentação. Nenhum dos quarks estava lá sozinho, é claro. Estavam todos unidos em pares, cada um irresistivelmente unido ao seu antiquark. Alice se deu conta de que isso era a coisa mais semelhante a uma coleção de quarks isolados que se podia ter. "E, afinal de contas", ela pensou, "ele disse que os quarks estavam em cativeiro."

Alice olhou para os pares de quarks. Eles estavam dispostos em uma plataforma com vários níveis, onde as combinações de quarks mais pesados ficavam nos níveis de energia mais elevados. Alice viu um quark *up*, acenando para ela, com suas sobrancelhas, como tinha feito antes. Havia também um quark *down* e, um pouco mais acima, um quark *estranho* de cabelo ruivo e encaracolado.

Além desses três tipos, que ela já tinha conhecido no Baile de *Massa*carados, havia mais dois tipos, colocados ainda mais alto. Um deles projetava um ar cativante, e ela viu um brilho luminoso vir de seus dentes incrivelmente brancos quando ele sorriu. "Aquele ali é um quark *charmoso*", murmurou o Mecânico Quântico em seu ouvido. O outro quark novo era ainda mais pesado. Tinha sido colocado bem no alto, e Alice o via com menos clareza do que via as outras partículas que já tinha encontrado, mas ela teve a estranha impressão de que ele tinha cabeça de burro. "Aquele outro é um quark *bottom*", informou seu companheiro.

Alice olhou mais para cima, na direção do sexto quark. O lugar na plataforma estava lá, mas estava vazio. Não havia sinal algum do sexto quark que, segundo a informação que ela havia recebido, seria o quark *top*.

Outros membros da plateia também notaram a ausência do sexto quark e começaram a protestar. "Tudo bem, tudo bem!", disse o moço da tenda, tentando acalmá-los. "Sei que ele está aqui em algum lugar. O quark top é o mais pesado de todos, por isso, o melhor lugar para procurá-lo é entre as altas energias, mas ele tem de estar aqui." Ele pegou uma daquelas redes de caçar borboleta, subiu em uma escada e começou a fazer movimentos aleatórios com a rede, perto do teto da tenda.

Enquanto isso, a plateia ia ficando cada vez mais impaciente, fazendo comentários pouco graciosos sobre a exibição. Gradualmente, o humor dos espectadores piorava, e eles começaram a ir embora para escrever cartas de reclamação a seus periódicos técnicos favoritos. "Vamos", disse o Mecânico Quântico para Alice. "Isto não é lugar para nós."

Do lado de fora, a atenção de Alice foi atraída por outra barraquinha, onde várias pessoas se aglomeravam jogando bolas contra os prêmios que ganhariam, se

Recentemente, a existência do quark top foi confirmada e ele possui de fato uma massa muito grande. O quark top se une aos dois tipos de quarks conhecidos anteriormente, o quark charmoso e o bottom, e completa o quadro. Hoje em dia, acredita-se que haja seis, e apenas seis, tipos de quarks, com um conjunto complementar de seis léptons. Seriam os quarks, por sua vez, feitos de algo ainda mais elementar? Não há, por enquanto, maneira de saber.

conseguissem derrubá-los de seus pedestais. Parecia bastante com as barraquinhas que ela tinha visto numa feira perto de sua casa, a não ser pelo fato de essa barraquinha ter um tipo de cerca de fios finos, uniformemente dispostos entre os competidores e seus alvos.

Alice olhou por um momento e percebeu que, assim que as bolas eram atiradas, elas ficavam embaçadas, saíam de foco, e era impossível ver exatamente aonde elas tinham ido, até atingirem algum ponto na parede de trás da barraca.

Alice viu que a maioria das bolas fazia só isso; acertavam a parede nos fundos, em vez de acertarem os prêmios. Pouco a pouco, foram surgindo pilhas de bolas onde caíam, e Alice pôde perceber que elas se formavam justamente nos espaços entre os prêmios.

"Exatamente", disse uma voz perto dela, ecoando seus pensamentos. "Os fios uniformemente dispostos produzem um padrão de interferência, fazendo com que a probabilidade de as bolas serem observadas em certos lugares seja muito maior do que em outros. É claro que os prêmios estão colocados nos mínimos, que são os lugares onde a probabilidade de se encontrar uma bola é a mais baixa possível."

"Não me parece muito justo", observou Alice.

"Talvez não, mas na Pheira Phantástica não se espera que as coisas sejam justas. Afinal de contas, o dono da barraquinha precisa ganhar seu pão de cada dia e para isso não pode ficar distribuindo prêmios por aí. É claro que ainda há uma probabilidade de se observar a bola mesmo nos mínimos, para que *alguns* prêmios sejam ganhos, mas não muitos."

Alice achou que isso não era certo mas, antes que pudesse dizer mais alguma coisa, um imenso pavilhão, um pouco mais além, chamou sua atenção. Acima dele, havia um cartaz luminoso, também bastante grande, que dizia:

O GRANDE PARADOXUS
Ação e medo à distância!

Abaixo do cartaz, uma série de grandes pôsteres circundava a entrada do pavilhão:

Extraordinariamente Impressionante!
Paradoxalmente incompreensível!
Radicalmente surpreendente!

Alice e seu amigo se dirigiram a essa exibição e se uniram à multidão que fluía através da entrada. No lado de dentro havia um teto altíssimo, e, ao centro, uma plataforma elevada. Pequenas rampas em ambos os lados levavam às portas nas duas extremidades do pavilhão. Sobre cada rampa foi colocado um pequeno cilindro de metal com um topo pontudo e asinhas na base.

Na plataforma central ficava o Grande Paradoxus, uma figura alta com cabelo preto lustroso, bigode pontudo e engomado, e uma capa preta. "Boa noite, senhoras e senhores," ele os saudou. "Esta noite planejo realizar um pequeno experimento sobre a redução de amplitudes, o que pode vir a ser de seu interesse. Aqui, na plataforma ao meu lado", ele continuou, "vocês estão vendo uma fonte de transições, transições que liberarão dois fótons em direções diametralmente opostas. Como sabem, se um de vocês medisse o spin dos fótons em uma direção

As características centrais do comportamento quântico são a detecção de partículas discretas e a observação de interferência. Partículas, ou *quanta*, são observados em um lugar e não espalhados sobre uma região como ocorre com uma onda clássica. A despeito disso, as partículas parecem se comportar como ondas, ao exibirem efeitos de interferência entre amplitudes diferentes que descrevem todas as coisas que uma partícula poderia fazer. A interferência pode ser demonstrada pelo espalhamento de elétrons por uma grade regular, como ilustrado na disposição dos átomos em um cristal, e ela pode ser realizada em uma intensidade tão baixa que somente um elétron esteja presente em cada momento.

de sua escolha, descobriria que seu spin é *para cima* ou *para baixo*, sem opção intermediária." Alice não sabia disso, apesar de ter ouvido falar sobre elétrons de spin para cima ou spin para baixo. Mas, como todas as outras pessoas presentes balançavam a cabeça com um ar de entendimento, ela deduziu que ele deveria estar certo.

"Como eu disse, *se* um de vocês medisse o spin, veria que ele é para cima ou para baixo. Mas, se você *não* o mede, haverá uma mistura, uma superposição de estados com diferentes direções para o spin. Somente quando se faz uma medida do spin é que as amplitudes são reduzidas. Uma será selecionada, e a outra não estará mais presente. Agora", ele disse, de repente, "a fonte que veem aqui faz suas transições a partir de estados que não têm nenhum spin, de modo que a *soma* dos spins das duas partículas produzidas também deve ser zero. Isso significa", explicou ele gentilmente, "que os spins dos dois fótons devem ser opostos: se o spin de um é para cima, o do outro *deve* ser para baixo. Mas, vejam bem, a direção do spin dos fótons só é selecionada a partir da superposição de estados quando uma medida é realizada — isso é de conhecimento de todos. Desta forma vocês verão que, quando uma medida é feita em um fóton e descobrimos que, digamos, ele tem um spin para cima, a superposição de amplitudes para esse fóton será reduzida ao estado apropriado.

"Contudo", Paradoxus continuou, levantando-se e mostrando como era alto, "a superposição para o *outro* fóton deve também ser reduzida, pois nós sabemos que ele deve ter um spin contrário ao anterior. Isso deve acontecer, não importa quão distante os dois fótons estejam naquele momento, mesmo que tenham chegado em diferentes estrelas no céu. Nesta demonstração não estaremos fazendo medidas tão distantes", ele sorriu para a plateia. "Chamarei agora dois voluntários, dois pesquisadores de confiança, que concordarão em viajar até as extremidades opostas do País do Quantum e fazer as observações por nós."

Ver nota 1 no final do Capítulo

Ouviu-se um ruído de discussão e inquietação entre a multidão. Finalmente, duas pessoas foram empurradas para a frente. Ambos estavam vestidos com longas sobrecasacas e calças apertadas, e ambos tinham fartas suíças. Os dois vestiam coletes, cada um com uma corrente de ouro presa a um relógio, cujas horas já haviam sido, obviamente, acertadas pelo seu dono, de acordo com outro relógio confiável. Os dois não eram exatamente idênticos um ao outro, pois apenas as partículas são completamente idênticas, mas eles com certeza eram muito parecidos. Ambos eram claramente honrados, honestos e fidedignos, além de serem observadores competentes e conscienciosos. Se eles dissessem que viram alguma coisa, ninguém nem sonharia em discordar.

Paradoxus deu a cada um deles um polarímetro, um aparelho usado para medir a direção dos spins das partículas. Com precisão militar, os dois desmontaram os instrumentos que haviam recebido, examinaram-nos para ter certeza de que não havia nada fora do normal e rapidamente os remontaram.

O apresentador então convocou duas formosas assistentes, que acompanharam os voluntários aos cilindros de metal, abrindo uma porta lateral em cada um deles. Por algum motivo, os dois voluntários puseram cartolas sobre as cabeças antes de se espremerem dentro do espaço limitado de cada cilindro. As assistentes fecharam as portas, acenderam os pavios na parte de trás dos cilindros, e logo se afastaram. Com um estrondo, os dois compactos foguetes dispararam pelas rampas, passaram pelas portas nos lados do pavilhão e sumiram no horizonte, em direção a opostos extremos do País do Quantum.

"E agora vamos esperar que eles voltem", disse Paradoxus. "Assim que estiverem em posição, cada um deles enviará uma mensagem através deste fio de telégrafo." Ele mostrou dois sinos colocados sobre duas mesinhas, um em cada lado da plataforma. Todos olharam para os sinos, esperando que eles tocassem, dando o sinal de que o show poderia continuar. Foi uma longa espera.

"Todo mundo aqui é tão paciente!", observou Alice, que estava começando a ficar inquieta.

"Precisam ser", respondeu o Mecânico Quântico. "Todos os cientistas experimentais aprendem a ter paciência. Finalmente, os sinos tocaram, primeiro

um e, logo depois, o outro. Era o sinal de que ambos os observadores já estavam em suas posições. Com um gesto teatral, Paradoxus abriu as janelas dos dois lados de sua fonte de fótons. Dois a dois, os fótons iam saindo em direções opostas.

Passado algum tempo, ele fechou as janelas e houve uma longa pausa. "O que será que estamos esperando agora?", pensou Alice consigo mesma, sentindo que o show podia ser só um *pouquinho* mais rápido. Ela ouviu asas batendo e, pela porta em um dos lados do pavilhão, entrou um pombo-correio, que foi pego com perfeição por uma das assistentes. Não muito tempo depois, um pombo chegou pela outra porta, e as mensagens trazidas pelos dois puderam ser comparadas. Paradoxus exibiu as duas mensagens, que mostravam uma perfeita correlação com um fóton spin para cima indo para um lado, invariavelmente acompanhado por uma versão spin para baixo detectada no outro, apesar dos dois detectores estarem separados demais para terem tempo de trocar qualquer informação.

"Isso não é mistério nenhum!", gritou alguém da plateia. A voz tinha vindo de um homem alto que Alice não conseguiu ver direito, mas que se parecia *bastante* com o Mecânico Clássico. "É óbvio", ele continuou, "que os fótons não são de fato completamente incertos, se são realmente spin para cima ou spin para baixo ao deixarem a fonte. De alguma forma, eles sabem o que serão e sabem também que cada dois deles devem ser opostos um ao outro. Não importa quanto tempo esperem até serem detectados; eles serão encontrados com a mesma direção de spin que já tinha sido estabelecida na hora em que foram emitidos."

"Parece um argumento bem razoável, não parece?", sorriu o apresentador, sem demonstrar estar vencido. "Teremos de ampliar um pouco nossa demonstração. Você diz que já teriam decidido na hora da emissão se os fótons seriam spin para cima ou spin para baixo e que eles levam essa informação consigo enquanto se deslocam. O que aconteceria se nossos observadores fossem medir o spin em outras direções, digamos, para a direita ou para a esquerda, ou em algum ângulo intermediário? E o que aconteceria se nossos observadores girassem seus polarímetros quando tivessem vontade, sem se reportarem a nós nem se comunicando entre si? Seria possível para a fonte saber com antecedência qual informação deveria ser transmitida para as partículas para que seus spins se correspondessem adequadamente, *não importando* os ângulos que nossos amigos escolheram para tomar suas medidas? Acho que não!"

Ele rapidamente escreveu novas instruções para os observadores, prendeu-as às pernas dos pombos e os mandou de volta. Após uma pausa, os sinos do telégrafo tocaram mais uma vez, indicando que as mensagens haviam sido recebidas e entendidas. Novamente, com um floreio, ele abriu as janelas da fonte central e deixou que os fótons saíssem. Após um determinado tempo, fechou as janelas e, mais uma vez, todos esperaram. Alice já estava se sentindo cansada de ficar esperando alguma coisa acontecer, quando, enfim, ouviu-se um ruído alto vindo dos dois lados. Foi aumentando, aumentando, até que os dois foguetes vieram voando através das portas do pavilhão e pousaram nas rampas de onde tinham decolado.

Enquanto os dois cilindros ainda soltavam fumaça, as portas se abriram e de cada veículo saiu um observador, ainda de cartola. Ambos marcharam até o apresentador, tiraram os chapéus, cumprimentaram-no e entregaram suas anotações. Alice só conseguiu ver que toda a plateia, com a exceção dela mesma, correu e os cercou para tentar dar uma olhada nos resultados. Houve uma tremenda confusão de discussões e disputas, e todos começaram a fazer suas próprias contas. Alice viu pessoas com pequenos computadores portáteis, calculadoras eletrônicas e réguas de cálculo. Ela também viu uma pessoa com uma calculadora estranhíssima que tinha conjuntos de engrenagens. Os chineses que ela tinha observado antes tinham um ábaco cada um, e seus dedos ágeis moviam as contas para lá e para cá ao longo dos arames, rápido demais para que os olhos de Alice pudessem acompanhar. Mesmo o cavalheiro cabeludo que vestia peles de animais estava empenhado. Ele havia abandonado sua roda e realizava um complicado procedimento com pequenas pilhas de ossos.

Finalmente, os grupos em discussão se acalmaram e chegaram a uma conclusão comum. Era verdade, disseram, que havia uma concordância inexplicável entre as direções dos spins dos dois fótons. Mesmo quando mudanças arbitrárias eram feitas na direção ao longo da qual os dois spins eram medidos, as correlações observadas eram maiores do que se poderia explicar por qualquer informação enviada junto com as partículas. Estava tudo muito claro, eles concordaram; na verdade, estava claro como cristal. Não parecia tão claro assim para Alice mas, se todos concordavam, ela supôs que deveria estar correto.

"É um resultado muito interessante", observou o Mecânico Quântico ao voltar do meio da multidão. A maioria das pessoas presentes continuava a discutir excitadamente, apesar de parecerem concordar. "É a prova de que o comportamento da função de onda em lugares diversos não pode ser causado por mensagens enviadas de uma posição à outra. Simplesmente não há tempo para isso. É o desvelamento de um aspecto totalmente novo da natureza quântica."

Ver nota 2 no final do Capítulo

Até podia ser interessante, mas Alice já estava com a impressão de que tinha ficado sentada e esperando por tempo demais e que queria mais ação. Então, eles saíram do pavilhão para dar uma olhada nos brinquedos da feira.

"Você terá de se comportar como uma partícula carregada, se quiser andar em qualquer um dos brinquedos", observou o Mecânico Quântico. "Todos eles são operados por aceleração elétrica e, por isso, funcionam apenas com partículas carregadas. Como você é um tipo de partícula honorária, não vejo por que não pode ser uma partícula carregada, assim como já é uma sem carga."

Eles chegaram a uma construção muito longa e estreita onde havia um cartaz que dizia:

PEGUE ESSA ONDA!
Cavalgue a onda eletromagnética milha após milha.
(Isso dá duas milhas; conte-as: 2.)

Havia uma fila de elétrons empolgados do lado de fora, mas Alice não achou que esse era o brinquedo que ela queria naquele momento. Ela preferiria algo como a Roda Gigante, onde ela tinha andado numa feira perto da casa dela.

Ela comentou sua vontade com seu acompanhante, que disse que a levaria para uma das máquinas circulares. Enquanto caminhavam, os dois se depararam com um desfile. Havia uma sucessão de pequenos carros, cada um levando um imenso aparelho construído em volta de um imenso ímã com fios de cobre enrolados à sua volta e vários dispositivos curiosos dispostos no centro. Destes dispositivos emergiam grandes rolos de fios e cabos.

"Como esses carrinhos conseguem levar tanto peso?", perguntou Alice. "Eles não deveriam estar achatados em baixo de tamanhas massas de metal?"

"Estariam, se esse equipamento fosse *de verdade*, mas esse é o Desfile dos Recursos para Experimentos, e cada equipamento é só um projeto. Eles são como os experimentos que fizemos em nossa sala *gedanken*. São apenas ideias, por enquanto, não são reais e por isso não são nada pesados. Na verdade, a maioria deles carrega muito pouco peso."

Alice olhou a procissão e percebeu que o segundo carrinho levava um aparelho exatamente igual ao do primeiro, o terceiro carregava um outro também idêntico, assim como o quarto e o quinto, e assim por diante até o desfile sumir de vista. "Não há tanta variedade assim", ela disse.

"Isso é porque várias cópias de cada projeto devem ser apresentadas", respondeu seu acompanhante. "Uma hora ou outra vai aparecer um diferente."

Enquanto os dois olhavam o desfile passar, o ar se encheu com uma tempestade de papel picado. "São pedidos de verbas para pesquisa que foram recusados e rasgados", o Mecânico Quântico respondeu antes que Alice tivesse tempo de perguntar. "Vamos, vamos procurar o brinquedo que você quer."

Eles passaram por uma sucessão de Rodas Gigantes. Todas estavam deitadas de lado no chão em lugar de estarem na vertical, como estariam em qualquer feira ou parque de diversões normal, e o acompanhante de Alice disse a ela que na Pheira Phantástica elas eram chamadas de anéis e não rodas. Havia o Anel Gigante, o Anel Muito Mais Gigante e o Anel CERN Realmente Enorme. Alice decidiu dar uma volta neste último.

Ela entrou em uma fila com um grupo agitado de prótons e logo estava entrando na máquina e se sentando, ou "sendo injetada", como eles falavam, em um *coletor de feixes de raios*. O coletor era um tipo de invólucro elétrico que Alice compartilhava com muitos outros prótons, que andavam excitados em todas as direções. Eles partiram, finalmente, acelerados por fortes campos que empurravam suas cargas elétricas. Quando a velocidade aumentou, os prótons se aquietaram e todos foram impelidos juntos para a frente.

É parte do paradoxo da física quântica que as medidas realizadas em objetos muito pequenos sejam feitas com enormes aceleradores de partículas. Devido à *relação de Heisenberg*, um tamanho pequeno está ligado a um grande momentum, e precisa-se de uma máquina grande que acelere as partículas até as imensas energias necessárias. A maioria dos aceleradores de altíssima energia é circular, e as partículas dão muitas e muitas voltas durante a aceleração. Existem poucos aceleradores lineares, em que elétrons são acelerados ao longo de uma linha reta, tal como o acelerador de duas milhas em Stanford, Califórnia.

Cada vez mais rápido, eles iam dando voltas direcionadas por campos magnéticos. Depois de algum tempo, Alice percebeu que a velocidade não estava aumentando muito, apesar de ainda sentir uma aceleração. Ela perguntou a um próton o que estava acontecendo e ele disse que agora todos estavam se movendo quase tão rápido quanto os fótons se movem, e que nada é capaz de ir muito mais rápido do que aquilo. Ainda assim, sua *energia cinética* continuava aumentando. Alice achou aquilo muito estranho e tentou contra-argumentar quando, de repente, ela sentiu um forte sacolejo e foi jogada para fora do anel junto com os prótons.

Através do ar Alice voou com incrível velocidade. Ao olhar para a frente, ela se apavorou ao ver uma parede e perceber que estava indo, junto com os fótons, diretamente ao encontro dela!

Ela se preparou para o choque enquanto a parede se aproximava mas, para sua surpresa, a parede a fez parar assim como o faria um nevoeiro ou um sonho.

Olhando em volta ela viu que, apesar da parede não ter tido efeito nenhum sobre ela, o contrário não era verdade. Ela passou mais ou menos perto de um átomo e ele explodiu, espalhando elétrons e liberando o núcleo, que agora vagava livre. Ao seu redor havia um rastro mortal de fótons virtuais. Eles destruíam os átomos como se fossem teias de aranha se desfazendo com o distante efeito de sua passagem. Ela chegou perto de um núcleo, e ele também se despedaçou, prótons e nêutrons se espalhando em todas as direções. Assustada, ela se lembrou do Raio Cósmico que tinha visto no Castelo Rutherford e que, sem esforço algum, tinha destruído um castelo nuclear. Ela ficou horrorizada ao se dar conta de que tinha se transformado em algo parecido com ele, deixando apenas destruição entre os átomos e núcleos por onde passava.

As partículas altamente energizadas produzidas por aceleradores podem penetrar a matéria comum por distâncias consideráveis. Suas energias são tão altas, comparadas com a das ligações eletrônicas que unem os átomos, que estes têm pouco efeito na redução de suas velocidades. Tais partículas deixam um rastro de ionização e ligações partidas em seu caminho. Se elas passam perto do núcleo de um átomo, o despedaçam também. Essas partículas rápidas acabam por perder sua energia através desses processos, mas podem percorrer grandes distâncias antes disso acontecer.

Ela viu um nêutron bem à sua frente logo antes de se chocar contra ele. Por um momento ela conseguiu ver os seus três quarks, que entraram em pânico com a passagem dela. Eles não foram jogados individualmente para fora do nêutron, pois a ligação entre eles estava muito firme, mas seus fios esticaram e se romperam, esticaram e se romperam, criando uma horda de pares de quarks e antiquarks. Onde antes havia um nêutron, havia agora um jato de mésons trazidos à existência pela comoção causada pelo enorme momentum de Alice.

Alice fechou os olhos para esconder a imagem do caos que se formava à sua frente, com medo de ver uma catástrofe ainda mais violenta. Teve uma breve sensação de estar caindo e sentiu um leve impacto.

Alice abriu os olhos rápido e descobriu que tinha caído do sofá na sala de sua casa e que estava deitada no chão. Ela se levantou e olhou em volta. O sol brilhava alegremente através da janela e a chuva tinha passado. Ela se virou para olhar a televisão, que ainda estava ligada. A tela mostrava um grupo de pessoas muito sérias sentadas em um estúdio, arrumadas cuidadosamente em torno de um apresentador, que informou a Alice que eles estavam prestes a discutir o futuro do planejamento científico no país.

"Chato", disse Alice. Ela desligou a TV com decisão e foi para o lado de fora, para a luz do sol.

Notas

1. Já houve muitas tentativas de montar um experimento que colocasse em xeque as previsões mais extremas da física quântica mas, por enquanto, a mecânica quântica continua invicta.

   Um exemplo disso é o experimento de Aspect para investigar uma forma do paradoxo *Einstein-Podolsky-Rosen* (EPR). Esse paradoxo tem várias formas, que envolvem medições do *spin* das partículas, essa estranha rotação quantizada possuída por partículas elementares tais como elétrons e fótons. O paradoxo trata do caso de um sistema que não tem spin, mas que emite duas partículas que têm spin e que se deslocam em direções opostas. As restrições da teoria quântica nos diz que a medida do spin de qualquer uma das partículas só pode ter um de dois valores: *spin para cima* ou *spin para baixo*. Se o sistema original não tem spin, os spins das duas partículas devem se compensar; quer dizer, se uma tem spin para cima, a outra *tem* de ter spin para baixo, para que a soma dos dois resulte em um spin total de valor zero. Se nenhuma medição dos spins das partículas for feita, a mecânica quântica diz que elas estarão em uma superposição de estados spin para cima e spin para baixo. Quando se faz a medida do spin de uma, *naquele momento* o spin passa a ser definitivo, ou para cima ou para baixo. Mas, ao mesmo tempo, o spin da *outra* partícula também passa a ser definitivo, pois os dois devem ser opostos. Isso funciona não importa qual a distância entre as duas partículas. Essa é a essência do paradoxo EPR.

2. Seria razoável explicar o paradoxo EPR dizendo que, de alguma forma, os spins são predeterminados desde o começo; que, de alguma forma, as partículas *sabem* qual terá o spin para cima e qual terá o spin para baixo no momento em que forem emitidas. Nesse caso, não importa o quão distante tenham se deslocado, elas teriam de trazer as informações consigo. Os limites das informações que as partículas podem estabelecer com antecedência estão considerados no *teorema de Bell*, que trata daquilo que acontece quando as medidas dos spins não são feitas ao longo de uma direção específica, mas sim em uma seleção de diferentes ângulos para as duas partículas. Os cálculos são muito sutis mas o resultado é que, em alguns casos, a mecânica quântica prevê uma correlação maior entre as medidas das duas partículas do que qualquer informação prévia, enviada junto com as partículas, sem conhecimento anterior das direções ao longo das quais os spins seriam medidos, poderia possibilitar. Alain Aspect, em Paris, mediu esse efeito e descobriu que, como sempre, a mecânica quântica parece estar correta. Aparentemente, existe o

envolvimento de algum tipo de informação que viaja mais rápido do que a velocidade da luz.

O resultado de Aspect não contradiz diretamente o entendimento normal da teoria da relatividade especial de Einstein. Essa teoria diz que nenhuma informação, nenhuma mensagem, pode viajar mais rápido do que a velocidade da luz. O efeito considerado no paradoxo EPR não pode ser usado para o envio de mensagens. Se fosse possível decidir se o spin a ser medido seria para cima ou para baixo, o spin oposto da outra partícula transmitiria a informação em um tipo de código Morse, mas isso é impossível. Não há meios de se exercer qualquer tipo de controle sobre o resultado de uma medição em uma superposição de estados quânticos; o resultado é completamente aleatório e nenhum sinal pode ser imposto a ele.

Índice remissivo

aceleradores de altas energias, 183-5
alfa, partículas, 141-2
amplitude mínima, regiões de, 44
amplitude máxima, regiões de, 44
amplitudes, 44, 53
  mínimas e máximas, regiões de, 44
  redução de, 63-5
  inversa, 81-2
  quadrado da, 53, 57-8, 81-2
  superposição de, 37-9
anticarga, 161
anticor, 160-1
antielétrons, 23-4
antineutrinos, 165, 168-9
antipartículas, aniquilação de, 109-10
antipartículas, pares de, 111-5
antipartículas, produção de, 97-9, 108-13
antipartículas e partículas, 23-4
antiquarks, 154-5, 158, 162-3
armas nucleares, 31
Aspect, resultado de, 181-2, 187-8
átomos, 56, 87, 94-5, 116-7, 167
  nobres, 118-9
  modelo planetário dos, 131
  espectros de, 115
autoestados, 77, 85

bandas de condução, 87, 89, 95-6
bandas de energia, 95-6
bandas de valência, 95-6
bárions, 155, 156
barreiras, penetração de (tunelamento), 18-9, 55, 143
barreira de Coulomb, 131, 133, 134
bósons, 80-3, 93-4, 155, 157-8
  número de, 83
buracos, elétrons em forma de, 88-90

camada de massa, 103-4
canhão fotoelétrico, 172-4
canhão de elétrons, 46-9
cargas
  elétricas, 87, 89, 160
  quarks, 160
cargas elétricas, 87, 89, 160
cargas quark, 160
cloreto de sódio, molécula de, 123-4
coletor de feixes, 183
colisão, processos de; partículas criadas em, 154-7
complementaridade, 51-2, 57
comportamento quântico, interferência e, 49-50
compostos de carbono, 128
compostos químicos, 126-7
condensação de Bose, 82, 94-5
conservação
  de energia, 33-4
  de partículas, 30-1
constante de Planck ($\hbar$), 24, 26, 56-7
constantes universais, 26
cor, 158-64, 167-8
cor neutra, partículas de, 167-8
corporação cloro, 118-24
corrente elétrica, 89-90
curto alcance, partículas de, 26

decaimento beta, 142
decaimento espontâneo, 103
decaimento radioativo, 142
distribuições de probabilidade, 19-21, 53, 57-8

efeito fotoelétrico, 174
efeitos de interferência, 46
Einstein-Podolsky-Rosen, paradoxo de (EPR), 177-82, 187-8
elétrica, corrente, 89-90

elétron, buraco em forma de, 88-90
elétrons, 12-8
    idênticos, 16-8, 80, 81, 93, 123-4
    estimulação de, 89-93, 96
    momento magnético de, 58
    número de, 141
    em órbita, 131
    fótons e, 87-96
    em rotação, 13
    spin para cima ou spin para baixo, 13-4
elétrons em órbita, 131
elevando amplitudes ao quadrado, 53, 57-8, 81-2
emissão de fótons, 16, 143-4
emissão estimulada, 90-1
emissão gama, 143-4
emissão beta, 143, 144
empréstimos de energia, 26
energia, 27-32
    conservação de, 33-4
    conversão para massa, 26-30
    definição clássica de, 29-30
    potencial gravitacional, 27-8
    cinética, 27-30
    em pacotes, 30
    e momentum (relação entre), 30-2
    potencial, 278
    de massa de repouso, 24, 25, 28-9, 30-1
    e tempo, valores para, 24-5
    total, 35
energia cinética, 27-9
energias de ligação, 126-7, 142
energia de massa de repouso, 24, 25, 28-9, 31
energia potencial, 27-9
energia potencial gravitacional, 27-8
EPR (Einstein-Podolsky-Rosen), paradoxo, 177-82, 187
espectro de linha ótico, 132
espectros de átomos, 115
espectros de linha ou linhas espectrais, 132
estacionários, estados, 84-7
estado fundamental, 83, 114-5
estados
    definidos, 83-4, 85
    fundamental, 83, 114
    número de, 84-5
    redução de, 63-4
    representações de, 84-5
    estacionários, 84-7
    superposição de, 53-5, 59-69
    transições entre, 21, 86-9
estados quânticos *ver* estados
estimulando elétrons, 90-3, 96
estranheza, 156-7
eV (unidade de energia), 26
experimentos de pensamento (*gedanken*), 43

férmions, 82-3, 93-4, 155, 158, 161
    número de, 82-3
fio de glúons, 161-3, 168
física quântica, o nome da, 27
fissão nuclear, 146-9
flutuações
    de energia, 115
    quânticas, 24-5, 32, 34-5, 103-5
    aleatórias, 19-20
flutuações aleatórias, 19-20
flutuações de energia, 115
flutuações quânticas, 25, 32, 34-5, 104-5
força quântica, 75
forças elétricas, 95
fótons, 24, 25-7, 149
    elétrons e, 87-96
    troca de, 107-8
    de radiofrequência, 26-7
    virtuais, 102-3
    visíveis, 26-7
    de raio-X e gama, 27
fótons de troca, 107-8
fótons gama, 27
fótons virtuais pesados, 130-2
funções de onda, 52-3
    associadas, 81
funções de onda associadas, 81

glúons, 159-64, 167-8
grupos de simetria, 154-5

$\hbar$ (constante de Planck), 24, 25-6, 56-7
hádrons, 166-7
hologramas, 96

interação forte, 138-9, 149, 168-9
interação fraca, 168-9
interferência, 42-6
    construtiva, 45
    destrutiva, 45
    observação e, 50-2, 176-7
    comportamento quântico e, 50
interferência construtiva, 45
interferência destrutiva, 45

interpretação da mecânica quântica, 75-7
interpretação de Copenhague, 64
inversão de amplitudes, 81-2
inversão de população, 90, 96
íon negativo, 124
íon positivo, 124
isolantes, 89
isótopos, 141

laser, 96
ligação covalente, 127-8
ligação dupla ou bivalente, 128
ligação iônica, 124, 128
luz, 26-7, 92
    laser, 96
    velocidade da *ver* velocidade da luz

massa convertida em energia, 26-30
massa de repouso zero, 104-5
materiais semicondutores, 96
mecânica clássica, 30-1, 40-3
    mecânica quântica e, 56
mecânica newtoniana *ver* mecânica clássica
mecânica quântica, 47-52
    mecânica clássica e, 56
    interpretação da, 75-7
    entendendo a, 53
mésons, 155
modelo planetário dos átomos, 131
moléculas orgânicas, 128
momento magnético de um elétron, 58
momentum (momenta), 30-2
    controle do, 104, 105
    e energia (relação entre), 30-2
    em relação a posição, 86
movimento tipo espaço, 107-8
movimento tipo tempo, 107-8

nada, 112-4
neutrinos, 163-4
nêutrons, 136-42, 149
    número de, 140-1
nível atômico, partículas no, 13
níveis de energia, 114, 100-1
nível de valência, 86-7
níveis superiores, 88
nobres, átomos, 118
núcleo, 124, 129, 131, 133-5, 149
    potencial elétrico do, 146
    instável, 141-2
núcleo instável, 141-2
núcleons, 166-7
    número de, 140-1
nuvens de elétrons, 136

observação, 65
    interferência e, 50-2
ondas, 43-7
    partículas e, 44-54
    planas, 43-4
onda piloto, 74-5
ondas planas, 43-4

padrões de interferência, 36-9
parâmetros, 31
pares de quark, 174
pares elétrons-pósitron, 111-5
partículas
    alfa, 143
    antipartículas e, 23
    a nível atômico, 13
    de cor neutra, 167-8
    conceito de, 104-5
    conservação de, 31
    criadas em processos de colisão, 154-7
    definidas, 150-3
    detecção de, 176-7
    livres, 24
    não conservadas, 92
    nucleares, 133-5
    caminhos de, 37-9
    na teoria quântica, 107
    de curto alcance, 26
    estáveis, 152-3
    viajando de volta no tempo, 115
    virtuais, 23-6, 97-111
    ondas e, 44-54
partículas estáveis, 151-3
partículas estranhas, 155-6
partículas lambda, 156, 157
partículas livres, 23-4
partículas não conservadas, 92
partículas nucleares, 133-5
penetração de barreiras, 18-9, 54-5, 143
Píer Atômico, 117-22
píons, 140
plasmas, 144
poço de potencial, 117-21
posição
    momentum relacionado a, 86
    e tempo (relação entre), 30-2

valores bem definidos para velocidade e, 13-4
pósitrons, 23-4
potencial atômico, 137-8
potencial elétrico do núcleo, 146
potencial quântico, 74-5
pressão de Fermi, 95
princípio de superposição quântica, 64-5
princípio de exclusão de Pauli, 15-6, 78-94, 131
princípio da incerteza de Heisenberg, 14, 24, 32, 57, 85, 86
problemas da medida, 65-6
respostas aos, 76, 77
prótons, 137-8, 148-9
número de, 140-1

quanta, 26-7, 29-30
quark *bottom*, 174-5
quark charmoso, 174-6
quark top, 175-6
quark up, 158-64
quarks down, 158-64
quarks estranhos, 158-64
quarks livres, 155, 158-64, 163, 165
química, 127

radiofrequência, fótons de, 26-7
raio cósmico, 145
raio-X, fótons de, 27
reação em cadeia, 146-9
representações, 84-5
de estados, 84-7

Schrödinger, Gato de, 54-5
sistemas com muitas partículas, 80
spin para cima ou spin para baixo, elétrons de, 13-4
superposição
de amplitudes, 37-9
de estados, 53-5, 59-69

tabela periódica, 126-9
tempo
e energia, valores para, 23-5
partículas voltando no, 115
e posição (relação entre), 29-32
à velocidade da luz, 16
teorema de Bell, 187
teoria da mente sobre a matéria, 66-9
teoria do Mecânico Clássico, 73-6
teoria do Patinho Feio, 71-2
teoria dos muitos universos, 69-71
teoria quântica, partículas na, 106-7
trajetórias das partículas, 37-9
transições entre estados, 21, 86-9
troca de elétrons, 125-9

unidade de energia (eV), 26

vácuo, 105, 112-4
variáveis ocultas, 73-5
velocidade, valores bem definidos para posição e, 14
velocidade da luz, 16
tempo à, 26
virtuais, fótons, 102
pesados, 130-1
virtuais, partículas, 23-5, 97-111
visíveis, fótons, 26-7

W mais e W menos, bósons, 164-5, 168-9

1ª EDIÇÃO [1998] 17 reimpressões

ESTA OBRA FOI COMPOSTA POR TEXTOS & FORMAS EM
ADOBE GARAMOND E LIBRE SEMI SANS E IMPRESSA EM OFSETE
PELA GRÁFICA BARTIRA SOBRE PAPEL PÓLEN DA SUZANO S.A.
PARA A EDITORA SCHWARCZ EM MAIO DE 2024